D1450714

LUIGI GIUSSANI

Realtà e giovinezza
La sfida

SOCIETÀ EDITRICE INTERNAZIONALE

TORINO

Officine Grafiche Subalpine - Torino
Marzo 1995   ISBN 88.05.05318.X

Indice

VII *Premessa*

INTRODUZIONE

4 La giovinezza è un atteggiamento del cuore
8 Uno sguardo vero

Parte prima AI GIOVANI

15 Contro il dubbio, per la ragione
22 L'io e la grande occasione
31 Un luogo dove dire «io» con verità
43 Oltre il muro dei sogni
54 Perché il cuore viva
69 Una fede ragionevole
76 La certezza di una presenza
94 Amanti della verità
109 L'incontro con un Altro mi realizza
115 La forza morale per riconoscere una presenza

Parte seconda SUI GIOVANI

125 Risposte cristiane ai problemi dei giovani
148 Crisi e possibilità della gioventù studentesca
158 Ragione e compagnia
162 Libertà di educazione

172 L'educazione come comunicazione di sé
186 La famiglia, il luogo naturale
192 La carità, legge dell'essere

APPENDICE
199 La felicità, il dolore, la scelta di Dio, la compagnia

207 *Legenda*
209 *Bibliografia*
211 *Fonti*

Premessa

Tutte le filosofie e le politiche hanno avuto il loro campo di azione ideale e di promessa nella giovinezza.

Essa è stata vista, a seconda dei casi, come momento di originaria purezza, come spinta al cambiamento, come possibilità di speranza. Sui giovani da sempre si puntano le attese di una società: da sempre viene detto che il futuro appartiene loro.

Di fatto il potere, che la società si dà o si permette di avere, ha un'incidenza enorme sulla gioventù.

Tale azione del potere risulta tanto più grande quanto più esso si mostra e pretende di apparire rispettoso delle esigenze fondamentali dell'uomo. In questo senso si rivela anche l'equivoco ricattatorio da cui ogni potere è inevitabilmente tentato.

Stiamo proprio entrando in un'epoca nella quale i rifiutati totalitarismi (hitlerismo, fascismo, comunismo), supreme forme di attribuzione del divino alla stessa azione politica, breve che sia il tempo in cui si distaccano dai loro momenti più tragici, ottengono stranamente nei giovani, che non li hanno conosciuti, la loro versione fattuale, riesaltati come visione di una «terra promessa».

Questo è per lo meno il tentativo da parte dei giovani più vivi di liberarsi dell'angustia di padri che pretendono di definire tutto, quasi matematicamente, e che, curiosamente, univocano la speranza dei loro programmi con la realizzazione di essi che i figli dovrebbero assicurare.

C'è un carattere simbiotico dei conflitti generazionali della nostra epoca, che li rende violenti, ma sostanzialmente finalizzati alla conservazione dello *status quo*. Se, infatti, da una parte la definizione della realtà in termini tecnocratico-burocratici spinge i giovani all'evasione e al superamento di qualsiasi limite imposto, dall'altra «il nichilismo implicito in tanta parte della protesta giovanile contro le istituzioni è l'esito naturale della difesa delle istituzioni dello *status quo* come le uniche possibili» (A. MacIntyre, *Against the Self-Images of the Age*, Notre Dame 1971, p. 11).

Del resto questa falsa speranza di liberazione da parte dei giovani è una specie di pena del contrappasso per padri che, sotto le formule precise di progetti di lavoro, di progetti sociali e politici, molto più umanamente hanno covato nel cuore l'amore al benessere dei figli, sconsideratamente riducendolo all'immagine delle tentazioni cui essi hanno sempre ceduto nella vita; tentazioni edonistiche e anarchiche, dalle quali nessuno ha mai seriamente intrapreso almeno il tentativo di redimerli.

Nessuno: non lo Stato, di qualunque natura e colore ammantato; non la Chiesa, in cui il conclamato Mistero cedeva i propri diritti facilmente lasciandosi plasmare e quindi identificare in forme e figure spurie, dove cioè l'autentico senso religioso dell'uomo in vario modo veniva meno.

Di fronte a questo potere, la povera famiglia, che la natura ha creato, è rimasta un punto di resistenza; tuttavia tale resistenza si è espressa o come disperato impegno, senza dare luogo ad alcuna efficace controffensiva, o come facile scaricamento su organismi statali ed ecclesiali di una responsabilità priva ormai di punti di riferimento certi e piena di paure.

Il cristianesimo diventa simpatico in quanto viene scoperto come ipotesi migliore nel quadro naturale dei fattori umani.

Per sua natura è l'ideale di una formazione dei giovani.

Formazione: ideale formalizzato e passaggi ad esso giustamente colti e accennati. Questo è, soprattutto, il positivo esito di ogni ipotesi riconciliativa dopo un errore fatto.

Niente più dell'educazione e della decisione per l'educazione possono liberare il cammino e costituire l'invito positivo dopo una *débacle*, di qualunque natura sia.

Questo vale per la società e per il singolo.

LUIGI GIUSSANI

Febbraio 1995

Realtà e giovinezza
La sfida

Introduzione

La giovinezza è un atteggiamento del cuore

1. La mirabile *Lettera apostolica* di Giovanni Paolo II «Ai giovani e alle giovani del mondo» non riguarda solo quelli che *oggi* sono giovani, ma tutti. «La vostra giovinezza non è solo proprietà vostra, proprietà personale o di una generazione: essa appartiene al complesso di quello spazio, che ogni uomo percorre nell'itinerario della sua vita, ed è al tempo stesso un bene speciale di tutti. È un bene dell'umanità stessa» (n. 1). Il Papa non si rivolge soltanto ad una quota d'età, ma vuole parlare alla giovinezza che c'è in ogni uomo. Essa è la dimensione della persona in cui si pone la domanda sul senso e sulla verità. Al di là del riferimento tipico ad un'età dell'uomo, la giovinezza è infatti un atteggiamento del cuore. Si è giovani quando non ci si accomoda, ma si è tesi verso la realtà con l'avidità di imparare quel che essa suggerisce sul nostro destino, così che la realtà solleciti quelle domande che costituiscono il cuore dell'uomo e quelle domande che sono in noi il riverbero del destino e aspettano «una risposta che riguarda tutta la vita» (n. 3).

Se la giovinezza è «il graduale accumulo di tutto ciò che è vero, che è buono, che è bello» (n. 14) allora – per chi si ponga nella traiettoria di questa «lettera» – non finisce mai. Essa infatti perdura se si ripete la domanda del Destino, che Dio si manifesti. È la continua ripresa della domanda (una ripresa cosciente) che mantiene la giovinezza. Uno scopre sempre di più la realtà e va, come dice san Paolo, «di luce in luce»: è una novità continua. È così che la sapienza cristiana insegna che chi più comprende la giovinezza – umanamente, filosoficamente, esteticamente – è l'uomo maturo. Chi, se non l'adulto, può avere maggiore coscienza della novità continua del tempo?

2. «Gesù, fissatolo, lo amò» (n. 2; cfr. *Mc* 10, 20 s.). Il Papa dice: «Auguro a ciascuno e a ciascuna di voi di scoprire questo sguardo di Cristo e di sperimentarlo fino in fondo» (n. 7). E poi: «È necessario all'uomo questo sguardo amorevole: è a lui necessaria la consapevolezza di essere amato, di essere amato eternamente e scelto dall'eternità» (*ib*.). L'esperienza dello sguardo di Cristo corrisponde alla caratteristica dell'autenticità. Sentirsi addosso l'amore di Cristo vuol dire percepire che la figura di Cristo corrisponde a quel che di più autenticamente cordiale, di più naturale e originale costituisce il cuore del proprio io. Un giovane può aver commesso tutti gli errori, ma quell'autenticità l'ha sempre cercata: nello sguardo di Cristo la riconosce, se ne lascia invadere. A meno che sia già corrotto da una adesione interessata a un'ideologia o a un partito: corrotto dal gioco del potere.

Questo sguardo di Cristo vive nella figura di Gesù, come emerge dal Vangelo. Ma esso è esistenzialmente vivo e forte quando dà forma allo sguardo, detta i modi dell'affezione di compagni ed amici. Essi accostano l'amico: lo guardano, lo accompagnano... Il giovane sente in queste persone una comprensione di sé e un amore assai più grandi – più aperti e comprensivi – di quelli che abbia di se stesso. La sete per l'affermazione della giustizia, il desiderio di rispondere al problema della fame nel mondo, di cambiarlo questo mondo, sono tutti compresi e valorizzati in quello sguardo. Sono emergenze – dice il Papa – di «quella parola divina» che «dimora in voi» (n. 15). Ma perché questo incontro avvenga occorrono luoghi umani interi, luoghi di amicizia. Realtà socialmente identificabili e attive. Nel grande deserto di oggi non si può prescindere da queste preoccupazioni.

Il Papa avverte questa necessità quando nella lettera apostolica parla di ambienti giovanili, gruppi, movimenti e organizzazioni che hanno ciascuno il proprio metodo «di lavoro spirituale e di apostolato». Sono proprio questi organismi che «con la partecipazione dei pastori della Chiesa desiderano indicare ai giovani» la via della crescita (cfr. n. 14). I diversi metodi – lascia intendere il Papa – non sono un ostacolo alla comunione; anzi, i movimenti fanno l'unità della Chiesa proprio approfondendo fino in fondo il loro carisma. Nell'obbedienza all'autorità, che per natura deve favorire quei carismi ecclesiali.

3. Tra le minacce che insidiano il periodo della giovinezza (anche la giovinezza che dura tutta la vita), il Santo Padre cita la «tenta-

zione del criticismo esasperato, che vorrebbe tutto discutere o tutto rivedere; o... quella dello scetticismo spregiudicato, quando si tratta di affrontare i problemi del lavoro, della carriera e dello stesso matrimonio» (n. 13). Questa preoccupazione del Papa non può che far riflettere gli educatori. Una volta per tutte il Papa nega un metodo pedagogico che abbia il suo punto di forza nel dubbio. Il dubbio come strumento di ricerca: ecco un programma di cammino educativo che capita di sentir teorizzato. In realtà se non si parte da un'ipotesi positiva è impossibile costruire alcunché. Se ci si mette alla ricerca partendo dal dubbio, non si troverà più nulla. È questo – credo – lo scetticismo che il Papa condanna. Un fuoco di fila di *ma*, di *se*, di *forse*, per proteggersi la ritirata dall'impegno con la realtà. Per questo, scetticismo equivale sempre ad immoralità.

4. Il Papa invita i giovani a recitare il *Padre nostro*, a pregare. «La preghiera del *Padre nostro* allontana i cuori dall'inimicizia, dall'odio, dalla violenza, dal terrorismo, dalla discriminazione, dalle situazioni in cui la dignità umana e i diritti umani sono calpestati» (n. 15). Sì, pregare, gridare al Mistero sempre. Anche quando sembrasse così enigmatico da essere confuso con un puro interrogativo. Anche quando sembra esistano solo le tenebre.

Uno sguardo vero

Tempo fa l'ho sentita ricordare con commozione un'assemblea di ragazzi di vent'anni e la frase di uno di loro. «Colui che è tra noi», disse questo ragazzo. Lei augurò a ciascuno di poter ripetere quelle parole allo stesso modo.

L'episodio rimarrà uno dei momenti più significativi della mia esperienza di educatore. Quel giovane iniziò a parlare così: «Colui che è tra noi». Le migliaia di giovani presenti ebbero davanti l'evidenza: la presenza di Cristo. In quella frase, nell'impeto e nella semplicità di quel ragazzo c'è tutta la giovinezza.

E quando accade questa giovinezza nello spirito?

È quel momento in cui la vita – lo spirito: ragione e affettività – è come sgombra da ogni *ma*, da ogni *se*, da ogni *però*. Il momento in cui è possibile l'abbandono a qualcosa di totalizzante. Quando si può dire: «Sì, ti riconosco», senza ombre.

Qual è il tragitto educativo che conduce a dire: «Tu, o Cristo, sei presente»? Cos'è che accade?

Accade prima di tutto una povertà di spirito nel senso evangelico della parola, una semplicità nell'attesa. È così che Dio costruisce un cuore...

C'è in tutti i giovani un cuore così?

Sì, salvo che quest'attesa non sia stata intenzionalmente e particolarmente bombardata. Dopo la povertà di spirito – dicevo – accade la sorpresa, che è la più persuasiva per un giovane, di scorgere una compagnia di persone in cui l'attesa del cuore ha trovato una risposta convincente. Lì la risposta è indicata, nominata, affermata come centro della vita intera, di tutti i suoi problemi e interessi.

Attesa, sorpresa. E poi?

È necessario che questa compagnia offra questa sua affermazione in modo ricco di ragioni. Una compagnia tutta protesa a scoprire come esprimere le ragioni della propria certezza. Come disse san Pietro: «Siate sempre pronti a rispondere a chiunque vi domandi ragione della speranza che è in voi». La speranza che è in voi: occorre trovare nella compagnia gli esempi in cui questa speranza è in atto. E vivere un luogo dove si sappia render ragione o dove tutto tenda a rendere ragione.

Tendere a cercar le ragioni, sempre. C'è un'esperienza comune dei cristiani: incontrare la compagnia in cui quel che cercavi è presente non toglie la voglia di cercare. Anzi, è come quando uno trova una miniera, capisce che è la miniera buona, allora scava per mettere alla luce...

È il concetto di ragione cui l'esperienza cristiana induce e che l'esperienza cristiana protegge. Vale a dire la ragione come coscienza della realtà, come finestra su un paesaggio che non ho mai finito di esplorare. L'opposto della «ragione misura di tutte le cose» che chiude tutto in una prigione.

Quella di chi rimprovera i cristiani di avere la verità in tasca. Solo chi ha un'idea di verità fasulla può cascarci.

Hanno un'idea di verità prefissata come il loro concetto di ragione. Una ragione definita senza più possibilità di novità, se non formalisticamente. Le novità concepibili riguardano soltanto il gioco delle loro stesse misure. Ma questa non è la novità. L'autentica novità non può che appartenere alla categoria di *avvenimento*. Ecco l'unica possibilità di novità autentica. Come scrive il filosofo Paul Ricoeur: «Quello che io sono è incommensurabile con quello che io so».

Lei sa che molti educatori cattolici teorizzano una ricerca che somiglia molto al dubbio sistematico.

La ricerca è assurda se non implica l'esistenza di un porto. Per costruire è necessaria un'ipotesi positiva.

Ma la domanda che dovrebbe essere così tipica dei giovani è spesso sepolta sotto montagne di sassi.

Non saremo noi a levare i sassi. Deve accadere qualcosa, un terremoto: un dolore o una gioia grandi, un innamoramento. Come l'eruzione di un vulcano riemergerà il fondo della questione. Oppure può accadere un «incontro». Questa è la strada maestra per ritrovare le domande che fanno l'uomo: imbattersi in persone in cui quelle domande sensibilmente determinino ricerca, aprano a una soluzione, provochino pena o gioia. Allora la montagna di sassi rotola via. È capita spessissimo che dei miei ragazzi mi riferiscano lo stupore dei coetanei per il loro modo d'essere: «Come fai ad essere così? Tu sei diverso». Il barometro segna la prima perturbazione nella loro atmosfera.

Penso ancora a tanti gruppi o «mode» a cui queste ansie non sembrano più appartenere.

Occorrerà percorrere una lunga ed umile strada perché il clima cristallizzato in cui vivono i giovani venga perturbato e sfidato da un'alternativa. Ma tante volte la strada non è poi così lunga. Basta che il giovane sia sorpreso, almeno in qualche momento, in qualche punto della sua vita, da una presenza. E basterà che sperimenti un atteggiamento gratuito verso di lui. Che sorpresa allora!

E chi non ha più gli anni, come ritrovare la sorpresa? Come far durare la giovinezza?

Ripetere, ripetere sempre la domanda al Destino, che Dio si manifesti. La continua ripresa della domanda (una ripresa cosciente, beninteso) mantiene la giovinezza. È sulla radice stessa della ragione che questa domanda s'innesta. E la sorpresa cresce, e la sorpresa si fa grata e gioiosa. Domanda e sorpresa, ecco i due fattori della giovinezza permanente.

Ce ne può dare qualche prova?

C'è una poesia di Ada Negri, *Mia giovinezza*: «Non t'ho perduta. Sei rimasta, in fondo / all'essere. Sei tu, ma un'altra sei: / senza fronda né fior, senza il lucente / riso che avevi al tempo che non torna, / senza quel canto. Un'altra sei, più bella. / Ami, e non pensi essere amata: ad ogni / fiore che sboccia o frutto che rosseggia / o pargolo che nasce, al Dio dei campi / e delle stirpi rendi grazie in cuore». Rendi grazie: la gratitudine è la risposta alla sorpresa della novità, alla novità assoluta.

Quando lei ha percepito la novità assoluta, lo sguardo di Cristo su di sé, l'inserzione nell'istante del senza tempo, come dice nelle sue lezioni citando Eliot?

Accadde a scuola, in seminario. Monsignor Gaetano Corti spiegava l'aspirazione profonda di Leopardi: poter vedere la Bellezza fatta persona che cammini per queste strade... Sono i versi di *Alla sua donna*: «Già sul novello / Aprir di mia giornata incerta e bruna, / Te viatrice in questo arido suolo / Io mi pensai». Ma questa era l'aspirazione a Cristo, ci mostrava don Corti. Cristo era venuto, era tra noi...

Ma gli altri che non vedono questa presenza di Cristo in mezzo ai cristiani, l'avvenimento nuovo... come fare?

La responsabilità del cristiano è grande. Gli altri non capiscono se non l'esito morale della fede. Come scriveva Nietzsche: «Crederei di più nel vostro Salvatore se aveste di più la faccia di salvati». Che è una frase sbagliata. Ma un richiamo estremo alla responsabilità del cristiano. Del resto il Signore avverte: «Dai frutti, li riconoscerete».

Quando un giovane è disperato – e capita spesso nella giovinezza – che cosa deve fare? Qualcosa per stare attaccato alla vita...

Due consigli, anche se duri. Il primo è quello di mendicare e di gridare. Perché l'ultima formula dell'atteggiamento ragionevole, possibile quindi anche in una situazione disperata, è quella dell'Innominato: «Dio, se ci sei, rivelati a me». La preghiera. La preghiera proprio come grido (il difficile starà nel fatto che non si può fissare né tempo né modalità per la risposta). Il secondo consiglio è quasi inutile. Un disperato lo ha già un sesto senso, e capisce subito quando incontra della gente se questa ha sofferto, se ha sperimentato quel grido. E il consiglio è di stare insieme a questa gente. A chi è equilibrato, ma non dell'equilibrio delle pantofole, bensì dell'equilibrio che conosce il dramma, che sa cosa l'altro prova.

Qualunque cosa pensino gli scettici, una risposta alla disperazione c'è.

Chi si lascia prendere dallo scetticismo parte con l'ipotesi negativa e, anche se l'approdo è possibile, la sua navicella ruoterà su se stessa. Se invece si parte con l'ipotesi positiva, se l'approdo non esistesse, uno, malinconicamente, non troverebbe nulla. Ma se l'approdo c'è, lo trova. È dunque ragionevole partire sempre con l'ipotesi positiva.

E se si istillasse la possibilità del dubbio pure su questo?

Il danno più grave per il giovane è la confusione tra problema e dubbio. Il problema impegna l'io alla soluzione, la vita è piena di problemi. Il dubbio è uno stato d'animo che si manifesta sornionamente appena sorge un interrogativo, ad esempio su un dato della tradizione. Invece che impegnarsi a capire le ragioni, e farlo così diventare problema, il dubbio distacca l'interrogativo dal dato. Si innalza l'interrogativo a risposta scettica. E si rende questo dato — che può essere anche la fede ricevuta da mio padre e mia madre — antipatico, fino al punto di negarlo. Ma questa è slealtà. Una slealtà che il giovane si trascinerà nell'età adulta riflettendola nel rapporto con la moglie, i figli, gli amici, la società. Con la realtà intera.

In senso classico, questo atteggiamento è la noia.

Ecco, la noia. Che Moravia fa consistere nel fatto che «la realtà non mi persuade della sua esistenza».

C'è un augurio che vuole fare ai giovani?

L'augurio è che abbiano a saper gridare al Mistero quand'anche sembrasse loro così enigmatico da essere quasi confuso con un puro interrogativo. Gridare al Mistero come l'Innominato, nei momenti in cui tutto sembra crollare. E poi che possano ricordarsi di un verso di Jimenez, per rimediare ad uno stato d'animo distorto. Eccolo: «Ora è vero, ma è stato così falso che continua ad essere impossibile». Jimenez descrive un individuo molto normale. Uno che, per esempio, ha conosciuto un cristianesimo falso, una vita di Chiesa che nulla gli diceva di Cristo. Ora è percosso da un certo accento nel magistero del Papa, ha incontrato certe compagnie, certe persone in cui Cristo è davvero risposta alle domande del cuore. Sì, la verità è possibile, anzi, c'è, è presente. Ma poi la forza dell'esperienza passata è tale, tale è lo scetticismo, che l'intuizione della novità è accantonata.

Questo è un augurio che vale anche per i giovani con i capelli bianchi.

Ah, sì. Che aderiscano all'intuizione, al respiro che viene evocato nell'istante di un incontro, piuttosto che a secoli di pregiudizio.

Parte prima

Ai giovani

Contro il dubbio, per la ragione

Ho quasi sessantaquattro anni ed anch'io sono passato per la vostra età e ho un po' la presunzione di essermela portata dietro. Per questo è giusto, forse, che abbia accettato questo dialogo. Ricordo che una volta ad una assemblea di gente matura chiesi: «Che cosa vuol dire essere adulti?». Attesi per molti minuti la risposta che non venne, e dissi la mia. Essere adulti vuol dire generare, riprodurre. Certo, riprodurre dal punto di vista biologico, ma soprattutto dal punto di vista del significato del vivere.

Ed essere giovani vuol dire avere fiducia in uno scopo. Senza *scopo* uno è già vecchio. Infatti la vecchiaia è determinata da questo: che uno non ha più scopo. Mentre chi ha quindici, vent'anni, magari inconsciamente, è tutto teso a uno scopo, ha fiducia in uno scopo. Questo rivela un'altra caratteristica dei giovani. È la razionalità. Essi lo sono molto più degli adulti. Un giovane vuole le ragioni. E lo scopo è la *ragione* per cui uno cammina. Per dire la parola grossa, che può sapere di romantico, l'*ideale*. Se uno non l'ha, è vecchio. Nel vecchio il sangue non scorre più bene, comincia l'arteriosclerosi. Il sangue non è più così veloce. E ogni tanto fa grumi. Se uno non ha uno scopo fa grumi, non si protende più. Anche voi potete: potete far grumo sulla moda, sulla ragazza, sul disco, sul panino. I grumi sono lo scetticismo. Pensateci. Uno non ha uno scopo, e davanti alla realtà dice: chi me lo fa fare, sta' calmo. Così, davanti a chi è premuto dentro da una gioia ed è tutto proteso, di fronte a chi è vivo, il vecchio fa: «Eh, poi imparerai, vedrai, vedrai la vita». Nel vecchio non c'è più niente di sicuro, è freddo. Le vene, il sangue non sono più caldi come prima. Ed il vecchio non ha più presa con la vita. Copre allora questo disinteresse per la vita con la scetticità. Ah, se si potesse farla a pugni con chi

introduce i giovani allo scetticismo. Sarebbe l'ideale, è l'unico modo
per discutere con chi è scettico. Non si può, ci mancherebbe altro,
ma se si potesse...

*Perché non bisogna mai essere tranquilli? È vero che lei augura
sempre questo?*

Se uno nasce in Groenlandia o in Nuova Zelanda tutti capiscono che è un uomo perché ha una grinta, una faccia da uomo.
Ma la madre, insieme alla faccia, dà a lui un'altra faccia che lo fa
uomo, qualcosa dentro, quel che la Bibbia chiama «cuore». La
parola cuore sintetizza le urgenze che mettono in moto l'uomo.
L'esigenza della felicità. Vi confesso che una tra le prime cose che
mi hanno persuaso del cristianesimo è stata la considerazione in
cui era tenuta la felicità. È difficilissimo trovare persone che par-
lino di felicità sul serio. Parla così quasi soltanto il sentimento
materno, quando i bambini sono piccoli.

L'esigenza di felicità, di giustizia, di amore, dell'essere soddisfatti nel senso tenero e totale del termine: questo è il cuore. Ed
il cuore è vivo, non è mai fermo, e quando raggiungi qualcosa non
si ferma, e sei daccapo. Mai tranquillo. Non nel senso di ansioso,
ché sarebbe malattia. C'è una frase, tra quelle attribuite a Cristo
negli *Agrafa* e da qualche critico ritenute autentiche, che dice:
«Venni tra loro, e li trovai tutti ubriachi. Nessuno di loro aveva
sete». Questa è la tranquillità che non va!

Se vuoi bene a una donna, e ti metti tranquillo, stai attento che
la puoi perdere: non la conquisti più, non la capisci più, non la
godi più. Invece se le dici «tu», e sei vivo, se non sei tranquillo,
e sai che non è una persona qualsiasi (nessuno è qualsiasi), non hai
mai finito di incontrarla per anni e anni. Così, di fronte alla società, di fronte alla vita della gente, come si può essere tranquilli?

*Per un giovane è normale avere un ideale come un'utopia dinanzi
a sé. Poi diventa maturo e... come fa a mantenere il cambiamento?*

Comincio con il dirti che ideale ed utopia non sono la stessa
cosa. L'utopia è una parola che rappresenta negli intellettuali quello
che nei ragazzi è il sogno. L'utopia ha lo svantaggio di essere piena
di presunzione, il sogno almeno ha in sé qualcosa della malinconia
che – lo diceva Dostoevskij – è meglio di tante «soddisfazioni».
Ma sogno ed utopia nascono dalla testa, dalla fantasia. Invece

l'ideale è il centro della realtà. L'ideale è quella soddisfazione verso cui ti lancia il cuore, qualcosa di infinito che si realizza in ogni istante. Come una strada che ha una grande meta, e tu camminando, passo dopo passo, già la rendi presente. Così l'ideale cambia la vita di momento in momento. A sessant'anni può cambiarla in modo più suggestivo che a venti, perché l'ideale si fa più evidente, più potente.

Ricordo... Ero in seminario, quinta ginnasio a Venegono. Avevo quindici anni. Ero nella cappella e vicino a me stava un prete, vecchio, tutto gibboso, pelato. Era padre Botta. All'inizio della Messa a quel tempo si diceva «... al Dio che allieta la mia giovinezza». E questo prete, aveva più di settant'anni allora, l'ha detto con una tale vibrazione che ho dovuto guardarlo. Avrei capito dopo...

La parola Dio è uguale a Ideale. Scriveva Gratry, quel grande filosofo francese dell'Ottocento, che ogni vero ideale richiama Dio. L'ideale si distingue dal sogno perché nasce dalla natura, nasce nel cuore dell'uomo. Perciò non tradisce. Seguilo, non ti tradirà. Sogno e utopia ti portano via dalla vita.

Ideale allora è il mistero di Dio. Ma io non sono ancora credente. Come faccio a sapere di avere incontrato Cristo?

Ragazzo, mi metti proprio kappaò. Mi metti kappaò, perché se io ti dico com'è veramente, che io ho incontrato Cristo e lo incontro tuttora nella compagnia della gente che come me l'ha riconosciuto; se ti dico questo non t'ho ancora detto niente, perché per te non è ancora esperienza, mi capisci? Ma se io ti dico che per me Cristo è l'ideale, capisci che c'è un nesso tra me e questo Cristo. E quest'uomo, nato duemila anni fa, mi fa vivere e mi esalta, mi tiene su, mi cambia. Mi cambia perché è presente. Lo diceva Tommaso d'Aquino: «l'essere è là dove agisce». Se io sono cambiato, vuol dire che è presente.

Ma com'è difficile parlare di questo. Perché nessuno capisce più le parole degli altri, si usano parole che non si sanno, si giudicano cose che non sono mai passate attraverso l'esperienza. La questione grave del mondo d'oggi è la sincerità, e il pericolo più grave per i giovani è la doppiezza. La stragrande maggioranza di voi è nata dentro una tradizione cristiana, eppure l'avete abbandonata, giudicata senza averla affrontata. Avete sostituito gli interrogativi, che in greco si chiamano problemi, con il dubbio. E questo è sleale. Perché o il dubbio è conseguenza di una ricerca oppure è un preconcetto vigliacco. Me la sento continuamente proiettata addosso questa slealtà: cioè che le parole non sono accettate per quel che significano. Capita anche a proposito di Dio.

Un esempio. Insegnavo religione al liceo Berchet. Il giorno prima avevano dato a teatro *Il diavolo e il buon Dio* di Sartre. Ed ecco che i miei avversari vengono in classe armati – perché era sempre una battaglia la scuola di religione – del libretto e leggevano dei passi di Sartre. Hanno letto quel che han voluto. E poi gli ho detto: «Ah, sì? Quello è un Dio così cretino che potrà essere il Dio di Sartre. Non è il mio Dio. Sarei cretino se credessi in un Dio così».

Questo per dire che tutti parlano di Dio, di Chiesa, di Cristo. Non si sa più che cosa questi nomi rappresentino, ma tutti sputano giudizi.

Leggevo sul «Corriere» un articolo di De Crescenzo. Era un elogio del dubbio, e sosteneva che ogni certezza è violenta. Che differenza c'è tra questo dubbio e il non stare mai tranquilli?

Sentite, io giuro che questo è un uomo. Renzo, che mi siede accanto, so che è intelligente, che non è stato tranquillo e per questo corrono da lui. Ne sono certo. Questo non è violenza. Come non è violenza l'esser certo che quella ragazza ti vuol bene, l'hai capito quando hai sorpreso, senza che lei se n'avvedesse, il suo sguardo pieno d'ammirazione su di te. E così puoi salire sulla torre Eiffel se non dubiti ad ogni gradino che sia ben fissato sul precedente. Nella vita nulla si svolge se non attraverso una certezza. Non costruirete una bella famiglia, non sarete utili alla società senza certezze.

Anche se non puoi metterla in dubbio, questa certezza non dà nulla per scontato. Uno che ha trovato con certezza il criterio, lì comincia l'avventura, la drammaticità di un'esistenza, ogni istante della quale è tensione a piegare a quel criterio tutto. Abbracciare, giudicare tutto con quel criterio. No, l'ideale davvero non è la ricerca, così come l'ideale dell'innamoramento non è la ricerca...

Dove sta la grandezza dell'essere uomini, che vie ci sono?

Dicevo al Berchet, tanti anni fa, che per me esistono solo due tipi che hanno la grandezza dell'uomo. Uno è l'anarchico, colui che rifiuta l'infinito per affermare se stesso, contro tutto e tutti. L'altro uomo grande è colui che sta tutto nel sentimento religioso, che è amore all'infinito. Lasciatemi raccontare la storia di un giovane. Trent'anni fa in confessionale è venuto un ragazzo. Dalla sponda della porticina ho sentito dirmi: «Guardi, dietro c'è mia madre, che m'ha cacciato a confessarmi. Però io non ci credo». «Se non credi non posso assolverti», gli dico. Abbiamo discusso. E lui: «Il vero tipo umano è il Capaneo dantesco. È lì, legato, incatenato nell'inferno e grida: "Dio, non posso liberarmi perché tu m'incateni, ma non puoi impedirmi di bestemmiarti e io ti bestemmio". Questa è la statura dell'uomo». Ero lì impacciato, il suo era uno di quei ragionamenti che valgono più di tutte le ragioni del mondo. Ma poi tranquillamente gli ho detto: «Ma non è più grande ancora amare l'infinito?». Ha ridacchiato e se n'è andato. Dopo quattro mesi è tornato, mi disse che faceva la comunione ogni giorno: «Quella frase mi ha roso dentro». Due settimane dopo moriva ammazzato in un incidente. È il primo ricordo del mio cosiddetto movimento. Si chiamava Luigi.

Perché ho paura di crescere?

Perché non vedete gente cresciuta intorno. L'esempio di una persona che ha passato quel che tu hai passato e si capisce che è contenta e ti dice: «Vieni, non avere paura». Penso ai miei genitori, capivo che avevano passato, che avevano avuto vent'anni. Occorrono un esempio ed una compagnia che educhino il cuore. Se non si educa, il cuore si atrofizza.

Perché mi lascio cadere le braccia, perché rinuncio?

Per rimanere giovani bisogna rimanere fedeli a ciò per cui si è nati, al proprio cuore. Ma il potere ha fissato tutti i tabulati, tutte le tue esigenze e le parole che le richiamano hanno già una risposta nel vocabolario del potere. E tutto allora sembra in funzione di chi ha in mano il potere. Perciò mettiti insieme ad altri che vogliono rimanere fedeli al proprio cuore. Sii fedele al cuore e agli amici, e ti assicuro che vai fino al Polo. Ragazzi, dobbiamo ammettere che è una cosa senza paragone che il cristianesimo dica che Dio è diventato uomo, e permane in mezzo a questa compagnia di amici per far sì che la giovinezza duri per sempre.

Ero lì seduto, e tutto quel che dicevi era già confinato in una mia operazione intellettuale. Come imparare davvero?

Per fortuna non si nasce soli e non si cammina soli verso il destino. Sulla montagna dove non sai il passaggio da fare accetta l'indicazione della guida, accetta l'altro. Vi chiedo: non siate così scettici da rinunciare ad essere insieme, e non siate così sordi ed ottusi da essere insieme per contenuti immediati. L'immediato o è un passo al destino o è la tomba. Tutto diventa soffocante come le quattro pareti, anche quando sembra grande, e Leopardi chiama «stanza» il mondo. Ma l'uomo è un angolo aperto all'infinito. Perciò stiamo insieme per qualcosa di più grande di noi. Ci sia sempre questa lancia sulle costole, che ci spinge: l'amore all'ideale, al destino. Ma di tutto questo vorrei ancora discorrere con voi. Discorrere vuol dire correre da tutte le parti: dobbiamo correre insieme, correre.

L'io e la grande occasione

La distrazione della natura umana

Senza l'impegno della nostra libertà, nulla può comunicarsi a noi in modo tale da farci crescere, maturare, e perciò sapere e godere di più dell'essere e della vita. C'è un'osservazione malinconica da cui siamo costretti a partire: è possibile che l'uomo abbia facilmente a dimenticare se stesso. Nel suo Peer Gynt, Ibsen dice: «O sole adorabile [il sole della verità e del piacere vero, il sole dell'essere e del vivere], hai versato i tuoi raggi in una stanza vuota; il padrone dell'alloggio era sempre fuori». Il padrone dell'alloggio siamo noi, che siamo sempre fuori da questo alloggio, salvo che un dolore lancinante o una paura terribile, anormale, per un istante ci faccia tornare dentro. Ma è incosciente anche questo ritorno. Siamo fuori di noi, perciò non ci comprendiamo, e perdiamo contatto con quanto di mirabile è in noi. Kierkegaard, nel suo diario, ad un certo punto dice: «Morte, inferno, da tutto io mi posso astrarre, posso infischiarmi di tutto, ma non di me stesso, non so dimenticare me stesso, nemmeno quando dormo». Sono vere tutt'e due le cose; che si è attaccati a se stessi anche quando si dorme, e che, invece, quando si è coscienti, padroni degli occhi, delle sensazioni, si è distratti, come strappati fuori da sé. E così per un lungo pezzo del cammino della vita, fino a quando non arriviamo ad esser «letti tra le rughe» (come ha scritto Clericetti in una barzelletta che dimostra che il vero umorismo nasce dalla malinconia), dimentichiamo la grandezza che abbiamo addosso, e perciò siamo lontani dal gusto di quella sorgente da cui la nostra vita trae il suo impeto originale. Vi leggo un brano in cui è descritta in modo veramente mirabile l'essenza di questa suggestività che è la nostra vita e di cui non ci accorgiamo. È estratto dal dramma *Caligola*, di Camus, atto I, scena IV. Caligola, l'imperatore romano, torna dopo essere sparito da tanto tempo. E dialoga con un suo confidente, Elicone.

Elicone Buon giorno Gaio.
Caligola Buon giorno Elicone.
E. Sembri affaticato.
C. Ho camminato molto.
E. Sì, la tua assenza è durata a lungo.
C. Era difficile da trovare.
E. Che cosa?
C. Quello che volevo.
E. E cosa volevi?
C. La luna.
E. Cosa?
C. Sì, volevo la luna.
E. Ah... per far che?
C. Ebbene, è una delle cose che non ho.
E. Eh, certamente; e ora è tutto a posto?
C. No, non ho potuto averla.
E. È seccante.
C. Sì, è per questo che sono affaticato... Elicone...
E. Sì, Gaio?
C. Tu pensi che io sia folle...
E. Sai bene che io non penso mai. Sono fin troppo intelligente per pensare.
C. Sì. Ma io non sono folle e non sono mai stato così ragionevole come ora, semplicemente mi son sentito all'improvviso un bisogno di impossibile. Le cose così come sono non mi sembrano soddisfacenti.
E. È un'opinione abbastanza diffusa.
C. È vero, ma prima non lo sapevo. Ora so. Questo mondo così come è fatto non è sopportabile. Ho dunque bisogno della luna, o della felicità, o dell'immortalità, insomma di qualcosa che sia forse insensato [che vuol dire al di là di ogni senso immaginabile], ma che non sia di questo mondo [che non sia misurabile da me, oltre la mia misura].
E. È un ragionamento che sta in piedi, ma generalmente non lo si può sostenere fino in fondo.
C. Tu Elicone non ne sai nulla, è perché non si sostiene mai fino in fondo che nulla è mai ottenuto. Ma forse basta restare logici fino alla fine, e so anche quello che tu pensi. Quante storie, tu pensi, per la morte di una di cui ero innamorato. No, no, non è questo; credi di ricordarmi che una donna che amavo qualche giorno fa è morta, ma cos'è l'amore? Poca cosa. Questa morte non è nulla, te lo giuro, è solamente

il segno di una verità che mi rende la luna necessaria, è una verità molto semplice, molto chiara, un po' stupida per te, ma difficile da scoprire e pesante da portare.

E. E qual è questa verità, mio imperatore?

C. Gli uomini muoiono e non sono felici.

E. Andiamo Gaio, è una verità con cui ci si può benissimo arrangiare; guardati intorno, non è questo che impedisce agli uomini di mangiare e di ballare.

C. Allora è che tutto intorno a me è menzogna, questi uomini sono tutta menzogna, e io, io voglio che si viva nella verità e io ho appunto i mezzi per farli vivere nella verità, perché io so ciò che manca loro. Elicone, essi sono privi delle conoscenze e manca loro un maestro che sappia ciò di cui si parla.

E. Non ti offendere, Gaio, di quello che sto per dirti, tu dovresti innanzitutto riposarti, sei stanco.

C. Questo non è possibile, Elicone, questo non sarà mai più possibile.

E. E perché dunque?

C. Se dormo, chi mi darà la luna?

E. Questo è vero.

C. Ascolta Elicone, sento dei passi e dei rumori di voci (sono i congiurati contro di lui). Mantieni il silenzio e dimentica di avermi visto.

E. Ho capito.

C. E per favore, d'ora innanzi, aiutami.

E. Non ho ragioni per non farlo, Gaio, ma so molte cose, e poche cose mi interessano, in cosa posso dunque aiutarti?

C. Nell'impossibile.

E. Farò del mio meglio.

Forse la sintesi di questo pezzo è data da un paradosso, che potrebbe essere espresso con parole dello stesso Camus: «*Soyez réalistes, demandez l'impossible*» (Siate realisti, domandate l'impossibile).

L'io, rapporto con l'infinito

Questa è la misura dell'uomo di cui prima parlavamo. Essendo sempre vuota la stanza del suo padrone, il sole non può illuminarla, renderla visibile, col suo raggio. Non è realistico che l'uomo viva senza agognare l'impossibile, senza questa apertura all'impossibile, senza nesso con l'oltre: qualsiasi confine raggiunga. Come si dice ne *Il senso religioso* la realtà dell'uomo è rapporto con l'infinito.

L'infinito o l'«impossibile». Ma c'è una constatazione da cui non si può sfuggire. Caligola è insaziabile, così come ognuno non è mai pienamente soddisfatto di nulla, perché, anche nella soddisfazione più grande, emerge quella punta, quella spina che si esprime con la domanda: «E dopo?»: la soddisfazione resta inadempiuta. L'uomo, l'*io*, è una misura incommensurabile con qualsiasi oggetto raggiunga, con qualsiasi oggetto si paragoni. C'è, in *Jeune fille Violaine* di Claudel, una frase di Pietro di Craon che dice: «L'insaziabile non può che derivare dall'inestinguibile». Che l'uomo sia un animale insaziabile, vuol dire che il soggetto di questa realtà che si chiama uomo è un soggetto inestinguibile. Caligola parla di «luna» o «felicità» o «immortalità». L'insaziabile non può che derivare da un inestinguibile. L'insaziabilità è il segno del Destino. Ecco emergere la grande parola, da cui nessuno, pur facendo qualsiasi sforzo, qualsiasi mossa, per quanto abile possa essere, nemmeno nel sonno, si può distaccare. Un Destino di immortalità si segnala nella umana esperienza di insaziabilità.

La ragione e il senso del mistero

Si dice ne *Il senso religioso* al capitolo quarto: la natura dell'uomo, quella natura che la Bibbia chiama cuore, è esigenza di verità, di giustizia, di amore, di felicità (verità, amore ecc. sono parole senza limite, se si pone un limite le si tradisce). E la ragione è il luogo dove tutto questo emerge alla nostra vista, incomincia a entrare coscientemente nella nostra esperienza. Noi definiamo la ragione come coscienza della realtà secondo la totalità dei suoi fattori. Significa che, se manca un fattore solo, su un miliardo, non è più vero quello che si pensa, quello che si definisce circa un pezzo di realtà. Per questo la più bella e profonda emozione che si prova è il senso del mistero: qui sta il seme di ogni arte, di ogni scienza. L'uomo, per il quale non è più familiare il senso del mistero, e che ha perso la facoltà di meravigliarsi continuamente e di umiliarsi davanti alla creazione, è un uomo morto, i suoi occhi sono spenti. Scrive Einstein: «Nessuno può sottrarsi al sentimento di riverente commozione contemplando i misteri dell'eternità e della stupenda struttura della realtà. È sufficiente che l'uomo cerchi di entrare soltanto un po' in questi misteri giorno dopo giorno, senza mai demordere, senza mai perdere la sacra curiosità dell'infinito, perché nell'ammirazione estasiata della natura si riveli una mente così superiore che tutta l'intelligenza messa dagli uomini nei loro pensieri non è, al cospetto di essa, che un riflesso assolutamente nullo».

In quanto abbiamo accennato, pur nella genericità della provocazione, c'è di mezzo la nostra vita. C'è di mezzo la nostra vita quando parliamo e pensiamo al Destino. Esso è ciò a cui si tende inesorabilmente, tanto quanto è inesorabile il fatto che non ci si è creati da soli.

Ricercare, andare verso il proprio Destino, è il motivo per cui ci si sveglia al mattino, premuti da ogni tipo di istintività, da ogni tipo di dinamica naturale, da ogni tipo di attrattiva che l'affezione subisce. Non esiste niente che non spinga a dare risposta, a riconoscere, ad abbracciare, a dire sì a questo «incommensurabile» che è il proprio Destino. Mistero, lo chiama Einstein; non un Padre della Chiesa!

La situazione in cui viviamo

Non dobbiamo limitarci a ripetere parole note, logore, e senza fuoco, cioè senza un contenuto vivo. Questa osservazione è resa tristemente necessaria, realisticamente necessaria, per la situazione in cui viviamo.

La situazione in cui viviamo, infatti, favorisce la distrazione. Io ho avuto la fortuna di avere maestri che, per tanti anni, tutti i giorni mi hanno richiamato al Mistero. Tutti i giorni, per dodici anni. Sono stato in seminario, ci sono entrato a dieci anni e tutti i giorni, mattina e sera, due volte al giorno almeno, ero richiamato al *Mistero*, cioè al *destino di me stesso*.

Per questo mi avviene di sentire il Mistero quando dico «io», di sentirlo quando dico «ho sbagliato», quando dico «il mio Destino», mentre parlo di desiderio di felicità. Tutta la fatica della vita che Dio ci dà è per farci amici in questo sentimento dell'io, per farci compagni in questa esperienza dell'io, per non essere soli nel cammino. E non perché si tema di essere soli (difatti soli non si è mai), ma per pietà verso gli altri; per pietà verso tutti gli estranei che altrimenti rimarrebbero estranei. Basta, infatti, l'accendersi di questo sentimento e non si è più estranei.

«La Chiesa dell'era moderna non è più come un tempo, Chiesa di pagani diventati cristiani, ma Chiesa di pagani che si chiamano ancora cristiani e in verità sono divenuti pagani». Questo giudizio è del cardinal Ratzinger. Il pagano è il dimentico del Destino, perciò è vuoto, perché il Destino è tutta la trama e la stoffa di cui è fatto l'umano, nel più profondo del cuore, nella profondità dei nervi. Se si dimentica il Destino, si è vuoti.

La luna è molto più vicina di quanto sembrò a Caligola. Egli sbaglia soltanto il conto dei passi o forse la direzione.

Nei *Dialoghi con Leucò*, Pavese scrisse: «Le cose immortali [la luna, la felicità, l'immortalità] le avete a due passi». Ed Esiodo risponde a Mnemosyne (i due personaggi dei *Dialoghi*): «Non è difficile saperlo, toccarle è difficile». Rendere parte dell'esperienza questo «al di là» è difficile. «Una parete sottile ci separa», diceva Rilke rivolgendosi a Dio.

Non c'è un istante, nemmeno il più futile, che non sgorghi dal segreto dell'origine. Lo dice Gesù nel Vangelo: neanche una parola detta per scherzo è senza peso eterno, si renderà conto di ogni parola anche detta per scherzo. Ogni parola ha una misura infinita, un peso infinito. Senza questa prospettiva, senza questa ipotesi (chiamiamola pure così), non esiste più l'uomo, esiste la bestia, che si infischia del Destino (cioè di se stesso) e ha come oggetto del suo muoversi il suggerimento effimero dell'istante che brandisce e si scioglie tra le mani. Il Destino, l'offerta ad esso, il nesso con il Destino è il punto di arrivo che dà luce ad ogni mattina quando ci si alza, ad ogni atto che scaturisce dall'io per qualcosa che lo solleciti. Ci sono due posizioni: quella di Caligola (all'oggetto è impossibile arrivare) e quella descritta da Kafka: «Esiste un punto di arrivo, ma nessuna via» per raggiungerlo. Qual è la più triste? È la seconda. Qualche mese fa, abbiamo visto sfilare per Milano, con in testa il cardinale di Milano, trecentocinquanta capi di religione, trecentocinquanta modi di immaginare questo impossibile, di immaginare questo Mistero, questo Destino. Ritratto commovente, non triste. Invece, la posizione che afferma: «Esiste un punto di arrivo, ma nessuna via» è straziante, è come se la vita si uccidesse. La disperazione è totale.

La grande occasione

In *È mezzanotte dottor Schweitzer*, a un certo punto il protagonista dice all'infermiera Maria: «Ogni grande esistenza nasce dall'incontro con un grande caso», cioè nasce dall'incontro con una grande occasione. Immaginiamo ora quei due uomini che, su quel sentiero vicino al fiume Giordano, si sono messi con curiosità a seguire quell'individuo che aveva destato qualche stupore per un cenno fatto dal grande profeta Giovanni Battista. Quasi cercando di non farsi sorprendere, seguirono quell'uomo. Egli si voltò e disse: «Cosa cercate?»; domandarono: «Rabbì, dove stai di casa?». «Venite a vedere» fu la risposta, e andarono e rimasero con Lui tutto quel giorno. Tornando, Andrea incontrò il fratello Simone e gli disse: «Abbiamo trovato il Messia». E il testo non ci dice di cosa abbiano parlato. Una grande esistenza nasce dall'incontro con una grande occasione. «Io sono la via»; c'è un uomo che ha detto così, un uomo che lo ha detto al gruppo che lo attorniava. Nessuno nell'umanità ha mai detto questo, ha mai osato pensarlo. Come si dice nel libro *All'origine della pretesa cristiana*, quanto più un uomo ha il senso del rapporto con il mistero (cioè quanto più uno è come Caligola), tanto meno può pretendere di essere lui la luna; allora sì sarebbe pazzo. Quanto più un uomo ha il senso del mistero, tanto più si sente piccolo di fronte all'impossibile. Perciò tutti i grandi fondatori di religioni hanno detto: noi vi mostriamo la via, seguiteci, tentiamo la strada, e non: «Io sono la via perché Io sono la verità e la vita».

Abbiamo avuto e abbiamo la grande occasione, esiste un punto di arrivo ed esiste la via. Questo ci unisce più di qualsiasi legame naturale e carnale. Il «pagano», di cui parla Ratzinger, echeggia la posizione strafottente e strapotente dell'uomo di oggi per il quale nulla v'è di sacro e di onorevole, se non ciò che nasca da lui, che sia fissato da lui. Ma poi tutto si disfa: quello che quest'uomo crea crepa, e quello che gestisce si incenerisce.

Magister adest

Il filosofo Severino, in uno dei suoi ultimi articoli, ha scritto: «Qui sta l'audacia del cristianesimo, che un uomo, un mortale, sia l'eterno». Ma la convinzione che l'eterno si sia fatto carne, dalla cultura greca non era considerata solo audace. Tutti, infatti, potevano fare la loro ipotesi. Anche i trecentocinquanta di qualche mese fa a Milano potevano fare trecentocinquanta ipotesi diverse circa queste cose, e nessuno ha il diritto di impedire una ipotesi. Ma quella cristiana non è considerata un'ipotesi «possibile»: è quella contro cui ci si scaglia, la si uccide come fu ucciso Cristo. La cultura greca non la considerava un'audacia, ma una follia, una empietà, un offuscamento della ragione. Che impostura! Se la ragione dell'uomo è un occhio spalancato senza fine, la misura della ragione umana è data dalla categoria della possibilità. E allora cosa significa: «non è possibile»? «Nulla è impossibile a Dio!» Rispose così l'essere misterioso, l'Angelo, che parlò a quella ragazza di quindici anni. Ed Ella disse: «Allora avvenga di me secondo la Tua parola». A Dio nulla è impossibile. Che ne vuol sapere del possibile o dell'impossibile l'uomo la cui esistenza stessa era impossibile fino a quando Qualcun Altro l'ha resa reale?

Che profondo stupore nasce riguardo al valore e alla dignità dell'uomo, se consideriamo l'insaziabilità di Caligola. Per questo il cristianesimo si chiama Vangelo, annuncio buono, come scrisse Giovanni Paolo II nella sua prima e fondamentale enciclica. Nel nostro manifesto natalizio abbiamo scritto: «Magister adest», il maestro è qui, *Redemptor Hominis*, la via è qui.

In *È mezzanotte dottor Schweitzer*, padre Carlo, che è la figura principale del libro, anche se passa come veloce ombra in poche pagine, dice sorridendo: «... ma guarda, Dio non pensa alle minuzie in cui tu cadi quando ci impegna per la sua lotta, ci prende come siamo, tutti interi, il buono e il cattivo. Se metti un ceppo al fuoco tutto brucia, anche i vermi che lo divoravano...». Vuol dire che non c'è obiezione possibile al riconoscimento della grande notizia, della grande Presenza. Se Gesù si rendesse tangibilmente presente come è presente nella profondità con cui tiene in essere ogni creatura (tutto, infatti, in Lui consiste), se passasse di qui? È a due passi l'invisibile, non è difficile toccarlo, entra dentro la nostra esperienza, è un fattore della nostra esperienza fisica.

Dobbiamo aiutarci a capire queste cose, è per questo che siamo insieme. L'unica obiezione che si potrebbe fare a Cristo sarebbe: «Va' lontano da me che sono peccatore, sono pieno di peccati», sarebbe la vergogna. Come se non ci conoscesse, come se non conoscesse a uno a uno i vermi che abbiamo dentro... Tutto l'orgoglio è nel pretendere di essere perfetti, invece di desiderare di essere santi, cioè uomini, come dice bene l'Introduzione al libro *Santi* di Martindale. Una volta che Andrea, dopo essere stato là a sentirLo, è tornato in famiglia, la moglie capiva che c'era qualcosa davanti alla sua faccia; non una maschera ma qualcosa che alterava il modo con cui la guardava: la guardava in modo diverso, molto più vero della sera precedente, e, quando quella sera la strinse, lei non capiva, mai l'aveva stretta così. Se si riconosce la grande Presenza, la grande occasione, la vita cambia. Com'è diversa la pur bellissima poesia di Pär Lagerkvist a sua moglie: «Chiudi i tuoi occhi, cara / che il mondo non vi si specchi. Le cose ci sono troppo vicine, / quelle cose che non siamo noi. / Solo noi dobbiamo essere, / il mondo d'attorno è scomparso, / l'amore rivela tutto. / I tuoi occhi chiudi». Questa si chiama tomba. Tutte le azioni si chiudono dentro una tomba, si imprigionano da sé, e con il passare del tempo diventano larve dentro quella prigione.

La consistenza di ogni azione

E invece chi Lo riconosce, chi Gli dice: «Io sono quello che sono, ma Tu mi accetti, mi ami», vive le azioni che fa, alzandosi al mattino (non proprio tutte, perché non riesce ancora, ma sempre di più), anche le più piccole, in funzione di qualcosa di più grande, del mondo, offrendo a Dio la pagina del libro che legge, il dolore di testa che ha, o il pianto di sua madre o una scontentezza misteriosa. «Offrire» è la parola più grande che possa esistere, perché significa che la consistenza dell'azione è Lui e sorge la preghiera che Egli si mostri a tutti dentro questa azione. È la passione della testimonianza, così che il nostro io, così meschino, con tutti i vermi che ha dentro, si spalanca a desiderare che il mondo intero Lo conosca. Perché la vita di tutti sia meno strozzata, meno egoista, meno «niente», meno prigione, meno tomba, e più «vita», più buona. Come esprime Ada Negri in una sua poesia scritta a settant'anni, *Mia giovinezza*: «Non t'ho perduta. Sei rimasta, in fondo / all'essere. Sei tu, ma un'altra sei: / senza fronda né fior, senza il lucente / riso che avevi al tempo che non torna, / senza quel canto. Un'altra sei, più bella. / Ami, e non pensi essere amata: ad ogni / fiore che sboccia o frutto che rosseggia / o pargolo che nasce, al Dio dei campi / e delle stirpi rendi grazie in cuore». Si ama il fiore non perché lo si coglie, si ama il frutto non perché lo si addenta: questo è ciò che si chiama gratuità, senza la quale chi viene abbracciato in fondo non viene abbracciato, e il bambino che viene baciato non viene baciato.

Mi ricordo, in Liguria, la strada che portava da un paesello ad un altro vicino; ad un certo punto vi era una particolare situazione della strada, e quello era diventato il luogo di riferimento di tutte le coppiette della zona. Io passavo di lì tutte le sere dicendo qualche *Ave Maria* alla Madonna per il loro futuro. Era un posto bellissimo. Una sera ero in pensieri un po' neri, avevo una tristezza che non mi lasciava del tutto, e a un certo punto ho pensato: «Nessuna di queste persone, non avendo quello che è stato dato a me, chissà perché, può guardare le cose come le guardo io». In quell'istante, ho visto che sul mare, sotto un cielo tersissimo, senza luna, fitto solo di stelle, c'era il ponte della Via Lattea, chiaro come l'arcobaleno che tutti i bambini guardano. Nessuna di quelle coppie certamente aveva visto quello splendido ponte sul mare... Chi ti accoglie, o Signore, guarda le cose in modo diverso, le tratta in modo diverso. E comprende di essere stato creato da un Destino misericordioso, paterno, che è diventato uomo come noi ed è morto per noi, per rendere evidente che la natura di tutta la realtà è bene e che la morte stessa è per la vittoria della vita. Vi auguro perciò quello che, in fondo al libro *Miguel Mañara*, Milosz fa dire al frate: «Il mio cuore è gioioso come il nido che ricorda e come la terra che spera sotto la neve, perché sa che tutto è dove deve essere e va dove deve andare, al luogo cioè assegnato da una sapienza, che, il Cielo ne sia lodato, non è la nostra». Tale sapienza è quest'Uomo che sta con noi, è Dio fatto uomo... Siamo insieme per seguirLo e così imparare chi siamo, e soprattutto cos'è il nostro Destino. Così che la bontà bruci via tutto il male e la morte sia vinta dalla vita, ogni giorno. Ci sia più chiaro che tutto è dove deve essere e va dove deve andare, al luogo cioè assegnato da una sapienza che non è la nostra: è come la luna per Caligola.

Un luogo dove dire «io» con verità

Vorrei comunicarvi alcuni tra gli aspetti più affascinanti e persuasivi del cammino che ho fatto nella mia vita.

Innanzitutto mi permetterete di ricordare l'istante della mia vita in cui, per la prima volta, ho capito che cos'era l'esistenza di Dio. Ero in prima liceo classico, in seminario, e facevamo lezione di canto; normalmente, per il primo quarto d'ora, il professore spiegava storia della musica, facendoci anche ascoltare alcuni dischi. Anche quel giorno si fece silenzio, incominciò a girare il disco a 78 giri e, improvvisamente, si udì il canto di un tenore allora famosissimo, Tito Schipa; con una voce potente e piena di vibrazioni ha incominciato a cantare un'aria del quarto atto de *La Favorita* di Donizetti: «Spirito gentil de' sogni miei, brillasti un dì ma ti perdei. Fuggi dal cor lontana speme, larve d'amor fuggite insieme». Dalla prima nota a me è venuto un brivido.

Che cosa significasse quel brivido l'avrei capito lentamente con gli anni che passavano; solo il tempo, infatti, fa capire che cosa è il seme, come dice l'omonima, bella canzone, e cosa ha dentro. Uno può capire cos'è un seme se ne ha già visto lo sviluppo; ma la prima volta che vede il seme non può capire che cosa contenga. Così fu per me quel primo istante di brivido in cui ebbi la percezione di quello struggimento ultimo che definisce il cuore dell'uomo quando non è distratto da vanità che si bruciano in pochi istanti.

È uno struggimento del cuore che dura quando si sta ballando e quando, poi, si va a casa, come ho appreso da un'altra esperienza fatta molto tempo dopo. Durante i primi anni del mio insegnamento all'Università, ho aderito all'invito di un gruppo per una cena di fine anno. Dopo la cena i ragazzi si sono messi a ballare; io stavo seduto al mio posto a guardarli. A un certo punto mi sono alzato in piedi e ho detto: «Fermatevi!». E loro si sono fermati un po' straniti e io ho detto loro: «C'è una differenza tra me e voi: voi, in questo bellissimo gioco, in questo gustoso movimento, in questo affezionato rapporto, avete un'ultima, terribile distrazione e non vi accorgete di un seme che è dentro questo vostro gioco, un seme di tristezza. Quando avrete finito, andrete a casa, vi direte "Ciao, arrivederci a domani", salirete nella vostra stanza e vi metterete a letto; allora questo seme – in quelli tra voi che conservano un minimo di sensibilità umana –, questo seme di tristezza vi pigerà, urgerà: come essersi sdraiati ed avere sotto le spalle un sasso. Questo seme, di cui non v'accorgete – che è all'origine del gusto del vostro ballo e della tristezza che emergerà, appena appena accennata e bruciata via dal sonno, quando andrete a letto – è un seme di malinconia; la caratteristica malinconia di qualche cosa che non è compiuto, di qualcosa che manca».

Io, in quella prima liceo, nel canto di Tito Schipa avevo proprio percepito il brivido di qualche cosa che mancava; qualcosa che mancava non al canto bellissimo della romanza di Donizetti, ma alla mia vita: qualcosa che mancava e che non avrebbe trovato soddisfazione, appoggio, compiutezza, risposta, da nessuna parte.

Punto di fuga

Questo era appena appena adombrato e trattenuto dentro – appunto – nell'inconsapevole brivido che ho provato. Ma quando, l'anno dopo, il mio bravissimo professore di filosofia ci lesse Leopardi, avvenne un passaggio di conferma improvvisa che dilatava (oltre che confermare) l'impressione che avevo ricevuto da *La Favorita* di Donizetti. Mi ricordo la lettura della poesia *Ad Aspasia*, dove il poeta – rivolgendosi a una delle tante donne di cui si era innamorato – dice (cito parafrasando): «Non è la tua faccia che io desidero, è qualcosa che sta dentro la tua faccia. Non è il tuo corpo che io desidero, ma qualcosa di cui il tuo corpo è segno, che sta dietro di te, e io non so come arrivarvi». È come se – e qui l'idea mi fu chiara – ciò che afferriamo con la mano bramosa non lo potessimo stringere, perché il confine di ciò che afferriamo ci sfugge. C'è come – direi adesso – un punto di fuga, c'è qualcosa che sfonda l'oggetto che afferriamo, per cui non lo prendiamo mai a sufficienza e per cui c'è sempre come un'intollerabile ingiustizia, che cerchiamo di celare a noi stessi, distraendoci. Il buttarsi nell'istinto è il modo più bieco di chiudersi a questa apertura che tutte le cose reclamano, cui tutte le cose spingono.

Desiderio di felicità

Dire seriamente una parola implica e definisce la dignità di una persona. La dignità dell'*io* vero è la parola «felicità». «Spirito gentil de' sogni miei, brillasti un dì ma ti perdei. Fuggi dal cor lontana speme, larve d'amor fuggite insieme». C'è una cosa più densa da sperimentare, più intensa da provare, che la parola «felicità» detta sul serio?

C'è un solo luogo dove la parola «felicità» è detta sul serio. In realtà tali luoghi sono due, ma il primo – il rapporto originale con la propria madre e con il proprio padre – è così breve, così impotente, così fragile, così incapace di difesa da far diventare la cosa ancora più triste. Il rapporto con i genitori è un luogo dove il desiderio della felicità per il figlio è tanto vero quanto impotente.

Anche su questo voglio narrarvi un ricordo; sono cose che ho già raccontato, ma sono quelle cui mi riferisco per la mia vita d'oggi e per la mia morte di domani e, perciò, sono le cose più serie che io riesca a pensare, gli appigli umani più solidi a cui appoggiare la grande avventura dell'Ulisse vero, l'uomo che tenta ogni giorno di attraversare quell'oceano che è il significato delle cose. Ero da pochi giorni nel mio studio di via Statuto al numero 4, ancora a soqquadro per la guerra; bussano alla porta ed entra un signore molto distinto, di una certa età, col volto sconvolto e mi racconta della figlia del liceo Parini che a sedici anni era attaccata dal cancro e non c'era più nulla da fare. Questo padre, singhiozzando, mi parla della figlia e della sua situazione e poi – quasi come un urlo, un grido – dice: «Capisce, padre, che cosa provo io quando mia figlia mi prende la mano con le sue mani così diafane oramai, così fragili alla presa, e mi dice: "Papà, perché non mi fai guarire?"». L'universo che cosa è di fronte all'immensità di questo dolore? Forse che la vita vale meno del cibo? Forse che il corpo vale meno del vestito? L'universo è come il cibo, ma la vita è quest'anima che sente, è questo cuore che sente, è questo uomo che dice: «Io crepo dal dolore!»; il vestito è l'universo, ma la vita è questo «io» che grida dal dolore. Forse che il cibo o il vestito valgono più della vita?

Lo dice il capitolo 6 di san Matteo (cfr. *Mt* 6, 25). Immaginate quella gente! Era la prima volta nella storia che qualcuno sentiva cadere su di sé queste gocce di parole brucianti: «Forse che il cibo vale più del corpo? Forse che il vestito vale più della vita?».

Dire «io»

Che cos'è, dunque, questo «qualcosa» che vale più del cibo, più del vestito, che vale più di questo cibo grandioso e affascinante e allettante che è l'universo, di questo vestito bellissimo che è l'universo, che cosa c'è di più grande? Io! Uno che dice «io». Togliete la parola «io» dall'universo, che cosa rimane? Una cappa, un'oscurità totale, un senza-senso, solo per un filo distinto dal puro niente.

E, infatti, chi non dice «io», chi non prova a dire «io», chi non ha mai provato a dire «io» con un po' di questa sincerità e di questa consistenza è uno per cui tutte le cose diventano niente, sono niente, tutto va a finire in niente.

Questa è la grandezza dell'uomo: la parola felicità può essere pronunciata, può essere sentita, presentita, desiderata, vissuta solo dall'io.

Ho detto che il primo luogo dove la parola «felicità» – e, quindi, la parola «io» – viene presa sul serio sono il papà e la mamma quando si è piccoli, quando non si è ancora incominciato a dissentire dal loro modo di pensare e di sentire, quando non si è ancora incominciato a deluderli, quando la distanza inevitabile tra loro e il figlio non ha incominciato a porsi. Fino a quando si è piccoli il papà e la mamma non possono non desiderare la felicità del loro figlio e darebbero la vita per lui. Ma poi è come se tutto acquistasse un equilibrio normale, dove il calcolo, la corrispondenza e il tornaconto giocano decisamente.

Fedeltà al cuore

Ecco perché – di fronte a tutto il mondo, in tutte le epoche, di fronte all'uomo di due anni o all'uomo di settant'anni – rimane un solo luogo dove la parola «felicità» e, perciò, la parola «io» è presa sul serio; è presa sul serio più che da noi stessi. Questo luogo si chiama «religione», autentica religiosità. Non è religiosità autentica se non è definita dalla serietà con cui usa la parola «felicità»; e non c'è religiosità autentica se non si prende sul serio la parola «io».

Immaginatevi mille persone sul pendìo di una collina e un uomo lontano che, con voce stentorea, grida, come gocce brucianti che scendono nel cuore della gente che lo sente, ricchi e poveri, ignoranti e intellettuali, scribi, farisei e chi li segue, parole che per la prima volta si sentivano nel mondo: «Che importa se soddisfi tutto quello che desideri e poi perdi te stesso? Che darà l'uomo in cambio di se stesso?» (cfr. *Mt* 16, 26).

Dice una preghiera del rito ambrosiano: «Custodisci sopra ogni cosa il tuo cuore [il cuore è l'io in quanto esigenza di felicità]; fluisce dal cuore la vita». La vita comprende la luce che fa capire le cose, che soddisfa la sete di conoscenza; la vita, cioè, comprende l'impeto affettivo che sa abbracciare, che sa immedesimarsi, che unisce; la vita comprende l'impeto generativo, di fecondità che plasma le cose, le trasforma, le rende più vicine all'ideale che esse stesse fanno brillare nell'animo e che riecheggiano nella mente. Il mondo intero è affrontato da me, è sfidato da me, è abbracciato da me, è compreso da me; io ho pietà per il mondo, io, che sono un pulviscolo nel mondo, sono più grande di esso.

«Custodisci sopra ogni cosa il tuo cuore; fluisce dal cuore la vita». Il cuore è quel fenomeno della natura in cui la natura arriva a dire «io»; questo fenomeno della natura sembra impalpabile, più piccolo del più piccolo seme; eppure questo seme sarà dominatore del mondo. Il cuore è questo seme; esso è costituito da una sola cosa, da una sola carne, da una sola materia: esigenza di felicità.

Non c'è nessuno attorno a noi (a parte nostro padre e nostra madre per i primi anni e alcuni momenti di compassione e di tenerezza in qualche spirito ancora gentile) che prenda sul serio la nostra vita come esigenza di felicità; neanche noi stessi. Tale esigenza è presa sul serio solo nella Chiesa di Cristo.

Dobbiamo essere fedeli al cuore del nostro io, perché è dal cuore che nasce il gusto della vita e la fecondità, la produttività della vita. Essere fedeli al cuore, perché dal cuore fluisce la vita, è la cosa più grande che ci tocca. La fedeltà è a qualcosa che già c'è, dunque al cuore. Il cuore: o tu non lo guardi (perché sei stordito) o, se lo guardi, capisci che è esigenza di felicità.

Se quei miei amici che ballavano si fossero fermati un istante a pensare: «Perché ballo? Qual è l'ultimo significato di questo mio gesto, quello che risentirò quando andrò a letto tra un'ora?» avrebbero dovuto rispondere: «Il desiderio di felicità». La fedeltà a quello che per natura sentiamo è un segno di intelligenza (comprendere quello che c'è) e di amore (aderire a quel che c'è).

Ma l'intelligenza e l'amore non sono forse i fattori costitutivi dell'uomo? Questo è l'io umano: intelligenza e amore.

Come vincere la paura?

A questo punto c'è un passaggio da compiere. Come faremo a vincere il panico e la paura? Come raggiungeremo la certezza e la sicurezza che ci fanno vincere il panico e la paura, così che la vita sia veramente percepita come un cammino alla felicità, un cammino dove l'io diventa vita, un punto da cui fluisce la vita, un punto creativo, costruttivo?

Voi avete i vostri cantautori, *rock* o *heavy metal*, i vostri insegnanti di filosofia, di italiano, i vostri compagni del bar o della strada e soprattutto l'orrenda sequenza dei giornali che dicono tutti la stessa cosa, perché comandati tutti dallo stesso potere, a cui preme che l'uomo non dica «io» con serietà; avete la televisione di cui siete perpetui dipendenti. Avete tutte queste sorgenti di consigli, di immagini da seguire, di risposte da dare, tutti questi esempi di strade da battere; e vi inoltrate nell'una, nell'altra, nell'altra... e sempre ritornate dacapo. Quando siete soli vi ritrovate da soli, cioè daccapo. Ci fosse un maestro, ci fosse un insegnante, ci fosse un compagno, un amico in cui veramente poter porre la certezza e la sicurezza! Dove? Viviamo in mezzo a un guazzabuglio di richiami e di parole: appena un giornale parla di una certa cosa, tutti parlano della stessa cosa e tutta la gente che legge pensa la stessa cosa. Che razza di mortorio, di cimitero di umanità è la vita di oggi!

Infatti nessuno più costruisce. E arrivano momenti, come quello che stiamo vivendo oggi, in cui sembra che nessuno possa più costruire per dare il pane da mangiare a chi, come gli abitanti di Sarajevo, non ne ha. Non dando neanche una goccia del nostro sangue per la loro vita, anche noi cadremo, in un modo o nell'altro, nella stessa situazione; è una legge inevitabile questo concatenamento di cause nella storia.

L'avvenimento di Cristo

Chi dunque ci darà sicurezza e certezza? Dovendo rispondere
– a me stesso e per i ragazzi che avevo davanti insegnando religione – a questa domanda drammatica e decisiva e nella consapevolezza che la risposta a questa domanda elimina la tragedia e rende
la vita costruttiva, mi è venuto in mente un paragone.

Immaginatevi il mondo come un'immensa pianura, dove a centinaia, a migliaia, ci sono imprese edili che cercano di costruire
qualcosa. Cosa? Il ponte tra il punto in cui siamo e l'Eterno, cioè
il senso di tutto; il ponte tra l'effimero che viviamo e il senso permanente per cui valga la pena vivere questo momento e tutti i
momenti. Noi stiamo cercando di costruire questo ponte, a migliaia
di archi, come dice Victor Hugo nella sua poesia sulla preghiera.
Di queste imprese ce ne sono centinaia, migliaia, un numero ster-
minato, e c'è anche qualche architetto solitario che tenta con le
sue proprie mani di mettere una pietra sopra l'altra, e anche un
gruppetto sparuto di amici.

In questo fervore di tutta l'umanità che cerca il rapporto tra
il suo momento passeggero e il significato eterno di esso, a un certo
punto, nella grande pianura, si ode una voce che vince il rumore
di tutto il fervido lavorio e dice: «Fermatevi!». Tutti, colpiti dalla
curiosità, sospendono per un istante il lavoro, guardano dalla parte
da cui viene il grido e vedono un uomo solo che avanza. Quest'uomo
continua a dire: «Fermatevi!» e tutti, allora, stanno fermi, sospesi
per un istante e quell'uomo grida: «Siete mirabili, siete grandi,
voi siete di una grande stirpe, spiriti gentili, nobili, che nella vita
siete costretti dalla vostra natura a cercare il vero e a cercare la
felicità per poter amare, per poter dire "sono", senza limite, senza
paura del dolore e della morte [tutta la scienza a che cosa tende
se non a questo impossibile scopo?]. Ora, voi non ne siete capaci.
Vedete, il vostro è uno sforzo tanto nobile quanto triste e non riesce; nessuno mai è riuscito né riesce. *Io* sono il Destino a cui voi
cercate di arrivare con le vostre costruzioni di pensiero, con i vostri ponti di mille e mille archi. Io sono il Destino cui voi tendete.
Ho avuto compassione di voi e sono venuto con voi, sono qui.
Abbandonate tutta la vostra fatica, tanto nobile quanto inutile. Abbandonate questa vostra fatica e seguitemi, venite con me!
Io vi dico la strada, perché *io sono la via, la verità, la vita*».

C'è stato un momento della storia in cui un uomo ha detto proprio così.

Che cosa avvenne quando lui disse così? Tutti i muratori sono stati colpiti da quello che diceva; era come una speranza che nasceva in loro. I padroni delle imprese, invece – architetti, ingegneri, cioè gli scribi e i farisei – immediatamente hanno detto: «Ma che cosa pretende di essere questo qui! Ragazzi, su, su, mettetevi al lavoro; non seguite queste parole di favola: riprendete il lavoro». E la gente – trascinata come sempre da chi ha il potere – lentamente è ritornata al lavoro, questa volta cambiando la speranza che aveva nel cuore in un riso di disprezzo. Tutti si sono rimessi al lavoro «sguardando» ogni tanto indietro e deridendo quell'uomo. Che non si mosse; rimase fermo al suo posto e nessuno mai fino alla fine del mondo riuscirà a stanarlo da quel posto, cioè da quella pretesa grande, totalizzante: «Io sono la via, la verità e la vita» (Gv 14, 6).

Alcuni, di varie imprese – i più semplici o i più ingenui, oppure i più pieni di dolore, o gli uomini più acuti – non hanno obbedito al padrone che invitava a rimettersi a lavorare; sono rimasti a guardare quell'uomo, gli si sono avvicinati, gli hanno chiesto: «Dove stai di casa?» e lui ha risposto: «Venite a vedere». «E rimasero con lui tutto quel giorno» (cfr. Gv 1, 35 ss.). Da allora in poi, quegli uomini ebbero come suggestiva speranza, come fine, come traguardo il poterlo sentir parlare: «Nessuno ha mai parlato come questo uomo!» (Gv 7, 46). E lo seguivano e aggregavano anche altri.

Così è accaduto l'avvenimento più grande della storia. La parola «avvenimento» indica qualcosa che accade; se accade è una cosa nuova, una cosa nuova in senso assoluto. Molta gente ha detto: «*Io* vi indico la via», come Buddha, come Maometto, ma nessuno ha osato dire: «Io sono la via, la verità e la vita». Anzi, quanto più uno ha vivo il senso religioso, tanto più percepisce la distanza dall'Infinito e non pretende di essere l'Infinito. Questa è invece la pretesa di quell'uomo.

Avvenimento presente

Diceva il grande filosofo danese Kierkegaard: «L'unico rapporto che si può avere con la grandezza è la contemporaneità [con una cosa veramente grande come Cristo non si può avere un rapporto se non ora, ora]. Rapportarsi a qualcosa del passato, a un defunto, è un rapporto estetico, emotivo. La sua vita ha perduto il pungolo, la capacità di muovere la nostra vita [non giudica più la nostra vita, non mi costringe più a giudicare me stesso, non mi costringe più a una decisione, non mi muove più. Ciò che è passato non mi muove più: mi commuove ma non mi muove]». Quell'avvenimento deve essere presente. Disse infatti Cristo: «Io sarò con voi tutti i giorni fino alla fine del mondo» (*Mt* 28, 20). Quell'avvenimento sta fino a quando il mondo ci sarà e non ci sarà possibilità per nessuno di eliminarlo.

Noi siamo definiti dal desiderio della felicità, siamo affrontati continuamente dalla insoddisfazione, per cui la vita sembrerebbe non valer la pena di essere vissuta e invece non si può rendere zero quello che c'è. Rendere zero quello che c'è è contro ragione, contro natura, contro tutto.

Qual è, dunque, il grande problema di un cuore che desidera la felicità, di una persona che dice «io» con serietà emozionata, con sincerità liberante, con voglia di costruire, con senso di dignità minimale?

Quello che dobbiamo fare è chiederci: «Dove sei? Dove sei ora? Tu che hai detto così sulla pianura del mondo, che investi anche ora la pianura del mondo e sfidi il mondo dicendo "Io sono la via, la verità e la vita", dove sei?».

Voi teoricamente sapete bene la risposta: la «compagnia»; ma occorre la stessa fatica che serve per rendere seria la parola «io». Cristo è dentro la compagnia di coloro che lo hanno udito e gli hanno detto «sì», lo riconoscono e sono insieme perché c'è Lui.

Siamo un popolo

Ricordo quando, da piccolo, ritornavo in casa malinconico perché i compagni mi avevano calciato, dato pugni, oppure erano stati ingiusti nel giocare a pallone, mi avevano cacciato fuori, oppure in qualche modo mi avevano perseguitato o ferito; me ne ritornavo a casa col muso e quando vedevo mia mamma, piangevo. Io, che ero così piccolo da non sapermi difendere da quattro ragazzotti che vivevano vicino a casa mia, io divento questa compagnia di cui non conosco neanche l'uno per cento, ma per ognuno dei quali darei la pelle ora, subito! Questo, Signore, è più facile che osservare le tue leggi quotidiane, essere quotidianamente puro, obbediente, accogliente del dolore, attento nella fatica dello studio, ordinato. È più facile di questo – lo sai, Signore, che non dico una bugia – essere disposti a morire per chiunque sia qui presente, se tu lo indicassi. Tra noi, infatti, c'è una unità più grande di quella che avevo con mio padre, mia madre, mio fratello e le mie sorelle; una unità per cui il tuo Destino, amico, è desiderato con la stessa identica passione con cui desidero il mio.

In questa nostra unità di compagnia, Colui che ha detto: «Io sono la via, la verità e la vita», c'è, sta; e sta per sempre, fino alla fine del mondo.

Dire: «Ti credo, o Cristo, fammi venire con Te» e trovarmi insieme ad altri è la stessa cosa: io divento una compagnia, io divento più grande di me, è come se generassi, come se producessi un popolo nuovo. Noi siamo un popolo; non siamo due, tre, quattro, non siamo una famiglia, siamo un popolo.

Da quarant'anni, da quando salii per la prima volta i gradini del Berchet, un popolo è nato. Da una cosa così piccola e invisibile, incapace di difendersi da tutto, sensibile fino a piangere per una parola detta male nei suoi riguardi, è nato un popolo. Ognuno di noi è chiamato a far nascere questo popolo, a dilatare questa compagnia, a comunicarla agli altri.

Ognuno è chiamato a questo perché la gente, che è sempre sola anche quando impazzisce nelle feste, trovi la pietà di una fraternità, trovi un amore.

Tu sei con noi, la tua vita è come la nostra, la nostra è nella Tua, siamo una cosa sola; e se tutto il mondo si scaraventasse contro di noi, noi non ci staccheremmo di un dito. Siamo dunque costruttori di popolo innanzitutto per pietà verso gli uomini, per pietà verso coloro che incontriamo e poi per una passione, per una stima appassionata verso quell'Uomo dal cui avvenimento tutto è nato e che starà fino alla fine della storia: per la gloria di Cristo, perché Cristo sia conosciuto.

Più che l'attaccamento a me stesso e più che l'attaccamento dell'uno all'altro tra di noi, siamo invitati ad essere *dominati dall'attaccamento a Cristo*, Dio fatto uomo, il Mistero che fa tutte le cose fatto uomo e presente tra di noi: là dove c'è una compagnia di gente che sta insieme perché c'è Lui, Lui è realmente presente.

Questo diventa il compito della vita. Più ancora che essere padre e madre, più ancora che far carriera al lavoro, più ancora che salvaguardare la salute, più ancora che vivere settant'anni invece che venti. Abbiamo visto tanti nostri amici morire con una serenità, con un equilibrio che neanche gli anziani riescono ad avere, per un amore a Cristo, reale: confuso, ancora tentativo perché siamo uomini in cammino, ma reale.

È questa la vita che diventa missione, la vita che diventa compito da svolgere. Quale compito più grande che avere tanta pietà per gli uomini che si incontrano per la strada da far di tutto perché conoscano — attraverso quella povertà che noi siamo — Cristo? Altrimenti, la nostra vita com'è? La vita di tutti gli uomini com'è? Impotente, non creativa, siamo soltanto concime per disegni altrui, strumento dei disegni dei potenti e non funzione del nostro cammino alla felicità e al nostro Destino.

I due orfani

Impotenti e soli. Impotenti (perciò, pieni di paura per tutto) e soli (perciò sull'orlo di ricadere nel niente). È una situazione descritta in un poemetto di Pascoli: *I due orfani*. Pascoli ha vissuto la tragedia dell'impotenza e della solitudine in modo sincero e drammatico e la descrive nella figura di due fratelli che rimangono orfani; avevano solo la madre e la madre muore. I due fratelli sono a letto la sera: è la conversazione tra di loro.

«Fratello, ti dò noia ora se parlo?»
«Parla: non posso prendere sonno». «Io sento
rodere appena...» «Sarà forse un tarlo...»
«Fratello, l'hai sentito ora un lamento
lungo, nel buio?» «Sarà forse un cane...» [«forse»: l'impotenza, il panico
del forse»; niente di preciso, nulla di mio. Non posso accarezzare una
faccia amata con chiarezza e certezza, con permanenza, e durata]
«C'è gente all'uscio...» «Sarà forse il vento...»
«Odo due voci piane piane piane...»
«Forse è la pioggia che vien giù bel bello».
«Senti quei tocchi?» «Sono le campane».
«Suonano a morto? suonano a martello?» [l'unico segno sicuro diventa
dubbio anch'esso]
«Forse...» «Ho paura...» «Anch'io». «Credo che tuoni:
come faremo?» «Non lo so, fratello:
stammi vicino: stiamo in pace: buoni» [capaci solo di una frustrazione
esausta].
«Io parlo ancora, se tu sei contento.

Ricordi, quando per la serratura
veniva lume?» «E ora il lume è spento».
«Anche a que' tempi noi s'aveva paura:
sì, ma non tanta». «Or nulla ci conforta,
e siamo soli nella notte oscura».
«Essa era là, di là di quella porta;
e se n'udiva un mormorio fugace,
di quando in quando». «Ed or la mamma è morta».
«Ricordi? Allora non si stava in pace
tanto, tra noi...» «Noi siamo ora più buoni...»
«ora che non c'è più chi si compiace
di noi...» «che non c'è più chi ci perdoni».

Impotenza, incapacità di creare con certezza. Oppure solitudine,
quando uno sta solo senza amore («non c'è più chi si compiace di
noi») o, che è peggio, con il male fatto («non c'è più chi ci perdoni»).

La nostra compagnia è l'opposto di questo; dobbiamo dilatarla,
ci è stata data per dilatarla. Colui che ha detto – unico al mondo –
«Io sono la via, la verità e la vita» si è fatto conoscere da noi, si
è fatto sentire da noi per metterci insieme e ci ha messi insieme
perché noi abbiamo a dilatarci.

C'è una missione da compiere: bisogna portare questa umanità
piena di creatività e di compagnia, piena di amore e di perdono
a tutto il mondo, a tutta la gente che troviamo in scuola e fuori
scuola, a tutti. La vita è come un'ondata positiva senza freno, che
arriva al bordo ultimo delle cose finite, che è l'orizzonte oltre il
quale, come soglia, si spalanca l'immortalità, ciò per cui siamo nati.

Perciò bisogna cercare di conoscere sempre più profondamente l'ideale e non abbandonarsi ai sogni. Il sogno deriva da noi stessi ed è effimero; il tempo lo incenerisce. L'ideale nasce dalla natura di cui siamo fatti, nasce da ciò che ci ha fatti ed è una direzione seguendo la quale il tempo che passa rende sempre più evidente e certo quello cui noi aspiriamo.

Cosa vuol dire felicità per me? È la ragione per cui sono ritornato nell'esperienza cristiana, ma anche quella per cui un mio amico l'ha abbandonata dicendo: «Non vengo perché lì non sono felice».

La felicità è la realizzazione totale e intera di ciò cui aspiriamo, di ciò che desideriamo; è il compito del desiderio che definisce la dinamica del nostro cuore; è l'adempimento dell'esigenza di verità, di giustizia, di bellezza, di amore. Questo compimento è qualcosa che sta all'orizzonte, e tu cammini verso di esso. È come una strada. La meta di una strada è raggiunta quando la strada finisce; ciò per cui la strada è fatta comincia là dove la strada finisce. Questo è il significato della morte come supremo atto della vita. Una teoria o un sentimento dell'uomo, che non tiene presente questo, inganna e tradisce l'uomo.

La felicità sta all'orizzonte. La vita è un camminare verso quell'orizzonte. Quanto più cammini coscientemente verso l'orizzonte, tanto più ti trovi contento, tutto si purifica, le cose diventano evidenti, ti senti a posto, contento: «quanto più, tanto più». È un cammino. La felicità piena non è una realtà che si riveli nel presente. È la grande promessa del futuro, è il Destino.

Si chiama però felicità nella vita l'esperienza della realtà in quanto è consona, in quanto è fatta per il destino, in quanto ci fa tendere ad esso. Pretendere la felicità nella vita è un sogno. Vivere la vita camminando verso la felicità è un ideale.

Perciò tu, essendo ritornato sul cammino, ti sei messo in condizione di godere le cose, di capirle, di usarle con una purità e con un gusto che il tuo compagno non sa neanche lontanamente immaginare. Infatti, il tuo amico è costretto a chiamare felicità una istintività che si brucia al momento. E deve continuamente moltiplicarla perché continuamente si brucia. Invece tu non hai l'impressione che le cose si brucino. Un'ora dopo l'altra, un giorno dopo l'altro – l'uno piovoso e l'altro pieno di sole – tu capisci che costruisci, costruisci il cammino al tuo destino. Tu costruisci e l'altro brucia. Alla sera, se prende in mano la giornata, il tuo amico rimane con un pugno di cenere. Invece tu dopo ogni giornata, se guardi indietro, dici: «Ho sbagliato qui e là, però sto camminando. Anche se oggi avessi sbagliato tutto, in me predomina la volontà di camminare. Aiutami, Signore, ad essere domani migliore di oggi». Tu costruisci un cammino, il tuo amico no, distrugge. E distruggerà tutte le cose che toccherà, soprattutto le persone. Non amerà nessuno, cercherà di sfruttare e basta.

Mi sono battezzata il mese scorso, dopo aver incontrato il movimento e capito che nella nostra compagnia ogni persona può essere se stessa e valorizzata. Ora inizia la scuola; come posso portarvi la mia esperienza? Come posso creare un movimento a scuola?

Tu puoi portare questo modo di pensare e di sentire che chiamiamo movimento – un movimento umano è un modo di pensare, di sentire e di usare tempo, spazio e rapporti – nella scuola, se lo hai dentro tu, se lo persegui tu, se lo ami tu, se lo cerchi tu. Quando sono entrato al liceo Berchet di Milano ero da solo. Quanti fra voi sono entrati in una scuola con questi sentimenti ed erano soli! Magari può capitare così anche a te: sei sola. Innanzitutto devi essere tu carica di certezza, di libertà, di volontà di cammino, attraversando tutti gli ostacoli e i tuoi stessi errori – perché l'ostacolo principale sono i nostri errori. Quello che conta nella vita non è non sbagliare, ma non rimanere mentitori. La cosa grave non sono gli sbagli: la cosa grave è la menzogna, e la menzogna è non riconoscere la verità. La verità è il destino per cui siamo stati fatti. Nel nostro cuore questo destino ha messo la firma, ha già detto che cosa è: amore, giustizia, verità, felicità.

Anche se tu ti trovi da sola, devi amare questo progetto e poi lo dici ai tuoi compagni, secondo l'occasione. Non ti metti a far la predica, ma dici: «A me piace questo, il mio giudizio è quest'altro, ti pare giusto?». Continuamente sollecitato dal tuo intervento, chissà che qualcuno tra i tuoi compagni non aderisca alla tua proposta. Per due anni, agli inizi, ci siamo raccolti a Milano solo in una quindicina. Il movimento è scoppiato anni dopo. Non ci importa l'esito, la riuscita, ma la verità della nostra vita, perché il gusto del vivere è nella verità del cuore.

E se non si afferma la verità del nostro cuore, siamo preda degli avvoltoi che dominano il mondo. Ogni uomo è avvoltoio verso l'altro, rapinatore dell'altro; non solo i potenti, ma anche il compagno può essere il rapinatore della tua anima, sfruttatore di te, può tentare di strumentalizzarti. Non possiamo impedire questo; possiamo fare una sola cosa: essere noi stessi, essere il nostro cuore.

Ad aprile mi sono ammalata al sistema linfatico; dopo un intervento chirurgico, sono arrivata al punto di dover andare in ospedale ogni quindici giorni per una terapia abbastanza robusta. Spesso mi viene di essere preda dell'istintività e della sofferenza che mi porta a incriminare tutto ciò che ho intorno. Come si può «fare il cristianesimo» e non essere preda di qualcosa che ti fa recriminare?

Non si può. È come se mi domandassi: «Come si fa ad essere uomini e a non essere preda degli errori o dei timori?». Bisogna riconoscere e amare qualcosa di più grande di tutto ciò che ci fa timore e ci fa cadere in errore.

Tu hai conosciuto Andrea Mandelli, il nostro amico che è morto di cancro? Su *Litterae Communionis* del gennaio 1991 troverai alcuni suoi scritti. Per esempio questo: «Carissimi, a che cosa serve la vita se non per essere data? Io adesso sono a completa disposizione. Non devo più decidere. Chiedere al Signore la forza di sopportare ancora la fatica, questo sì, lo chiedo, devo chiederlo in tutti gli istanti. Ma a questo punto tutto è nelle Sue mani». Io ti auguro di rendere abituali in te questi pensieri.

Non possiamo dare alla vita la forma che noi vorremmo; possiamo abbracciare la vita, qualunque forma abbia, proprio perché è un Altro che dà questa forma e noi amiamo questo Altro e questo Altro è il nostro Destino.

Sono nel movimento da circa tre anni. Sono entrato perché mi sono innamorato di una ragazza e per lei sono andato alla prima vacanza di Gioventù studentesca dove ho conosciuto tutti i suoi amici. Da allora la mia vita è stata tutta un incontro. Io ho sempre avuto un grande bisogno di felicità e compimento, e il Signore mi ha risposto con delle persone, con una storia, una amicizia. In particolare ho conosciuto persone che hanno fatto una scelta di dedizione totale a Cristo. La loro scelta, inaspettatamente, mi ha coinvolto. Cosa vuol dire vivere la vocazione?

Vivere la vocazione significa tendere al destino per cui la vita è fatta. Tale destino è Mistero, non può essere descritto e immaginato. È fissato dallo stesso Mistero che ci dà la vita. Vivere la vita come vocazione significa tendere al Mistero attraverso le circostanze in cui il Signore ci fa passare, rispondendo ad esse. Tu hai trovato questa compagna; segui ciò a cui questo rapporto buono ti invita; capirai sempre di più. Dovrai realizzare la tua sofferenza, perché vorrai magari qualcosa che non ti sarà dato, che non potrai afferrare in quel momento. Ma se tu obbedirai all'invito che questo rapporto buono ti offre, ti troverai più te stesso, più uomo di prima. Prima volevi meno bene, adesso, proprio attraverso il sacrificio, vuoi bene di più. La vocazione è andare al destino abbracciando tutte le circostanze attraverso cui il destino ci fa passare.

Ma c'è una cosa fondamentale: il destino da cui nasco e a cui sono finalizzato, il mio principio e la mia fine è diventato *Uno fra noi*; sedeva sui banchi di scuola, si riuniva insieme al popolo del suo paese e della città di Gerusalemme. Questo destino ha un nome nella storia: si chiama Gesù Cristo. La vocazione, perciò, è abbracciare tutte le circostanze per obbedire, aderire, realizzare quello che Cristo vuole da te.

Cristo è Colui senza del quale l'uomo e la realtà tutta intera scompaiono e rimane l'urto breve dell'istante – piacere o dolore – che il tempo incenerisce.

È solo con Cristo che, seguendo tutte le circostanze momento dopo momento – siano esse caratterizzate da errore e debolezza oppure da forza e dedizione – noi costruiamo e ci troviamo, cinquant'anni dopo, d'accordo con quello che sognavamo cinquant'anni prima. Ma non solo; quello che cinquant'anni prima era nascente ideale diventa corposità presente. E non perché siamo diventati perfetti, ma perché la verità delle cose diventa più certa e la libertà più libera.

Il vostro problema, ragazzi, è quello della certezza e della libertà. Il problema umano è quello di capire che cosa vuol dire certezza e che cosa vuol dire libertà. Ci aiuta una frase di Dostoevskij, la cui fede era fondata – come lui stesso dice – sulla divinità del «falegname nazareno crocefisso sotto Ponzio Pilato». Dice Dostoevskij: «Mi sono formato un simbolo di fede in cui tutto per me è chiaro e sacro. Questo simbolo di fede è molto semplice, eccolo: credere che non v'è nulla di più bello, di più profondo, di più simpatico, di più ragionevole, di più coraggioso e di più perfetto di Cristo». Il grande romanziere russo dice anche: «Non basta definire la moralità come fedeltà alle proprie convinzioni. Bisogna anche ininterrottamente suscitare in sé la domanda: sono vere le mie convinzioni? Il vero banco di prova è uno solo: Cristo... Nella vita esiste una sola giustizia, una sola verità: Cristo. Quindi c'è una sola tragedia, una tragedia che è soltanto cristiana: il desiderio di Cristo, l'incapacità di stare con lui e la lotta dell'arbitrio inquieto contro di lui».

Il destino, cioè l'ideale, è la cosa più presente che ci sia. Infatti, quello che sei in questo momento ha consistenza per l'ideale, ha consistenza per il destino; altrimenti svanirebbe, il tempo lo incenerirebbe. E quello che in te cresce, cresce per il destino, anche se tu non ci pensi. La tragedia della vita è dimenticare il destino, il rapporto con Cristo.

C'è qualche cosa che ci aiuta a ricordare Te, o Cristo, che sei il nostro destino e ad affrontare la tragedia della nostra ribellione? È la nostra *compagnia*; essa ci impedisce la dimenticanza e ci recupera dopo ogni ribellione. La tragedia della vita non è che si possano commettere errori; il danno non sono gli errori, ma la menzogna. Menzogna è non riconoscere il destino com'è nell'esistenza storica che esso ha assunto diventando un uomo. La nostra compagnia è nata da quell'uomo e sta insieme per quell'uomo.

Su un diario molto diffuso, di cui ho letto con orrore alcune pagine, si parla di «ricercare una verità il più possibile vicina al vero». Ma come? La verità o c'è o non c'è. Una «verità più vicina al vero» è una menzogna. «Io sono la via, la verità e la vita»: Cristo lo ha detto sapendo che per questo sarebbe stato ucciso.

Attraverso il rapporto con la tua ragazza devi approfondire queste cose. La nostra amica di prima è, paradossalmente, nelle condizioni migliori per comprendere come ciò che può sostenere e dar senso alla vita e alla morte è la verità del destino che è Cristo, il quale «mi ha amato e ha dato se stesso per me», come diceva san Paolo (*Gal* 2, 20).

Ogni uomo desidera la felicità. L'unica via per la felicità è Dio; come posso dirlo se per me è ancora sfocato? Ma ho fiducia in alcune persone perché sono felici. Come continuare? Stando in questa compagnia?

Questa compagnia è lo strumento che ti ha fatto sentire te stessa. La tua felicità è che la vita ha un suo destino ultimo ed è un cammino. La compagnia è l'insieme delle persone con cui tu cammini verso il destino, verso la meta. Se tu abbandoni questa compagnia, dimentichi il tuo destino, perché in te si sfoca l'immagine e il desiderio di esso. Senza compagnia, Cristo non sarebbe più conosciuto da nessuno: Lui, per farsi conoscere da te e da me, ha creato una compagnia; prima dodici persone, poi settanta, poi centinaia, poi migliaia e centinaia di migliaia. E ci ha raggiunti, ci raggiunge ora. Qui, tra noi, la presenza più imponente e grande, che nessuno può stracciare o diminuire – noi tutti potremmo morire, ma questa presenza è inesorabilmente imponente – è Cristo.

È una compagnia lunga duemila anni, una compagnia che durerà fino a quando tutto il mondo arriverà al suo destino, una compagnia lunga tutta la via della storia. Le forze dei nemici non prevarranno mai contro questa compagnia. Solo noi possiamo andare contro la compagnia, staccandocene. Ma tutto il mondo intero non ci può togliere la compagnia. Padre Kolbe nel bunker in cui è morto, solitario in questa coscienza che ha partecipato agli altri che erano con lui, era profondamente inserito nella grande compagnia, che l'avrebbe poi esaltato come santo.

La compagnia è uno strumento non per sostituirci, ma per sostenerci. La grazia più grande che avete avuto nella vita è questa compagnia, in cui avete scoperto parole che non sono solo parole, ma definiscono tutta la sostanza del vivere. Quando mia madre mi ha detto: «Dio è grande», ha dato la definizione della sostanza del vivere. E questo non me lo può strappare più nessuno. Togliere il destino, togliere Cristo, togliere quel che dice la nostra compagnia è togliere la ragionevolezza della vita.

Voglio leggere un brano scritto dal più grande teologo russo contemporaneo, Aleksandr Men',[*] massacrato a colpi di accetta per odio politico, alcuni mesi fa; si tratta dell'ultima pagina che ha scritto, ritrovata sul suo tavolo insieme alla premessa alla traduzione in russo de *Il senso religioso*. Dice, dunque, padre Men': «Il punto di forza del cristianesimo consiste proprio nel non negar nulla, ma nell'affermazione, nell'ampiezza, nella pienezza d'orizzonte che afferma tutto». Una cosa, per essere vera, deve poter non escludere niente. Quando viene posto come ideale l'individuo singolo che si sceglie le cose e i rapporti che vuole ed elimina il valore della compagnia come dimensione della persona, si dice una cosa non vera. La compagnia, infatti, è una dimensione della persona umana. Non può esserci un «io» senza un «noi»; l'io nasce da un noi. Senza un «tu» l'io si trova smarrito, inaridisce.

Il segno della verità è che con essa si afferma tutto, non si è

---

[*] Padre Aleksandr Men'. Sacerdote ortodosso, nato il 22 gennaio 1935 a Mosca. Punto di riferimento e guida spirituale per moltissimi credenti, con grande spirito ecumenico aveva mantenuto contatti con l'esperienza viva del cattolicesimo già durante gli anni bui della repressione. È stato barbaramente assassinato il 9 settembre 1990 mentre usciva di casa per recarsi a celebrare la liturgia domenicale nella parrocchia di Novaja Derevnja, nei dintorni di Mosca. A tutt'oggi il caso rimane aperto.

costretti a negare niente. L'unica posizione della vita che afferma tutto, anche il particolare più piccolo, anche il sentimento che tu provi quando sei a letto e non sai come starai il giorno dopo, è quella di Cristo. Egli diceva: «Anche i capelli del vostro capo sono numerati» (*Mt* 10, 30), e altrove: «Ha un valore eterno anche una parola detta per scherzo» (cfr. *Mt* 12, 36). Può dire così solo Cristo. E noi siamo insieme perché riconosciamo che la vita ha un destino e che questo destino si è fatto uomo e si chiama Cristo.

Con Cristo noi non perdiamo più niente. Anche gli errori non si perdono; diventano un bene, diventano un dolore, diventano un amore. Per questo la parola che abbraccia tutto quello che Dio è per l'uomo, la parola più grande da usare nella comunità, il segno più incisivo della verità della compagnia è la parola *perdono* o *misericordia*. Perfino il male diventa bene, perfino la morte diventa vita, diventa il passaggio alla vita senza fine.

Dicevo ai miei primi alunni: «Ragazzi, vi dico che la verità c'è e questa verità è il destino cui siamo incamminati; o sono impostore io o dovete seguirmi»; e nessuno mi rispondeva; poi tanti mi hanno seguito. «Che interesse ho — soggiungevo — a dirvi questo? Uno solo: la passione per la vostra felicità, come ho passione per la mia felicità; non vi conosco, ma vi amo come me stesso». Questa è l'umanità nuova che attraverso ognuno di noi deve espandersi nel mondo. Ormai tanta gente, che ha partecipato a raduni come questo, è in America, in Russia, in Africa, in Scandinavia. Dobbiamo portare ovunque questa nuova umanità per cui l'uomo ama l'uomo. È menzogna amare se non si ama il destino dell'altro. È menzogna dire alla tua ragazza: «Ti voglio bene», se non desideri che si affermi il destino della tua ragazza. Ma se affermi il destino della tua ragazza, assumi subito verso di lei un atteggiamento di discrezione, di devozione, di ammirazione, di — lasciatemi dire la parola — purità. Applicate questo anche allo studio, al rapporto con i genitori e con tutti i vostri compagni: è un'umanità nuova, più pura, è un'umanità più umana.

Intanto siamo in cammino, siamo sulla barca e remiamo con la grande e potente Presenza alle spalle, che ci sostiene e non ci permette di fermarci.

Vi raccomando una cosa sola: non lasciate mai la compagnia; anche se vi sta sullo stomaco, anche se vi stanca. Non lasciate mai questa compagnia e seguite chi la guida.

Perché il cuore viva

Sarà camminando insieme che le domande suggerite dai pensieri che ci vengono dettati o dai discorsi che tra noi facciamo troveranno risposta adeguata. È lungo il cammino del tempo che le parole hanno la loro risposta. Perciò, è una fedeltà nel seguire la vera chiave di volta per una esplicitazione convincente dei problemi che pure tocchiamo insieme. Adesso sarà soltanto qualche accenno esemplificativo, in cui posso riuscire più o meno persuasivo; domani, ci ritrovassimo ancora, potrei dire meglio di oggi. È la compagnia il cammino, la strada.

Lo stupore di un incontro veramente personale, hai detto, non si trasforma in stabilità e fecondità se non attraverso il sacrificio, che è distacco e distanza dentro un possesso. Vorrei che fosse più chiaro che cos'è il sacrificio, perché nell'esperienza di tutti i giorni sembra quasi che dopo un sacrificio uno abbia perso qualcosa.

Con la parola «sacrificio» si indica una modalità che sembra far perdere qualcosa. Ma il sacrificio, come tale, non fa perdere: è *una paradossale condizione per mantenere*. Pavese, in un suo brano, sottolinea con molta vivacità il fatto che senza saper abbandonare qualcosa a cui sei portato in un determinato momento puoi tradire o impedire una fedeltà. Se mi domandi perché il sacrificio ci sia, non c'è risposta, eccetto questa: è un dato di fatto che, con il sacrificio, una cosa la possiedi meglio, in modo stabile e fecondo; senza sacrificio la possiedi peggio, cioè la perdi. È un dato di fatto, una condizione della dinamica umana che, se volete, ha una sola spiegazione, che è un paragone, un paragone eccezionale: che Dio, per rendere felice l'umanità, per salvare l'uomo, è morto in croce. È morto! Ci ha persi? No. Ci ha guadagnati! Così un padre e una madre verso il figlio: senza rinunciare a certi risultati immediati, sconforterebbero la familiarità, la fiducia, l'apertura del figlio, lo farebbero «arrabbiare». È ben noto a tutti quanto si debbano trattenere una madre e un padre perché l'esito buono che vogliono ottenere dal figlio possa trovare spazio per una persuasione che lo renda possibile.

L'aspetto più interessante dell'osservazione è proprio questo: in quanto il sacrificio ha uno scopo positivo – altrimenti sarebbe irrazionale: il sacrificio per il sacrificio è una cosa irrazionale –, in quanto è positivo lo scopo del sacrificio, allora *sembra* che esso ci faccia perdere qualcosa, invece è come una sospensione, una sospensiva, una lontananza o un distacco; si tratta di una lontananza o un distacco *per avere* quello che si desidera *in modo vero* o *più vero*.

Vuoi essere felice nella tua giornata, nella tua vita? Metterti lì a studiare per delle ore non sembrerebbe il modo più immediato per renderti contento, ma, se non lo fai, alla fin fine ti trovi più a disagio. Perciò, il metterti a studiare non è una rinuncia al desiderio di contentezza, ma è una sospensiva, una specie di allontanamento del desiderio di contentezza che hai, un distacco, che ti assicura una contentezza più grande: perché quando hai studiato bene, il giorno dopo o due giorni dopo, o la sera stessa, respiri meglio, sei più contento.

Comunque sia, il sacrificio è una condizione. Non si può spiegare. Perché l'uomo è fatto così e ha queste determinazioni? Perché è fatto così! Analogamente, il sacrificio è una condizione per il benessere dell'uomo. C'è un solo paragone che, come ho detto, può farne capire la ragionevolezza: è il paragone di Dio stesso, che, venendo per accompagnarci al nostro destino, muore per noi, cioè ci perde. Per averci è come se ci perdesse. La gente, sotto la croce, gli lanciava la sfida: «Se sei Dio, vieni giù, mostrati, fai un miracolo, facci un miracolo sotto i nostri occhi, vieni giù, fa quello che diciamo noi, allora ti crederemo, otterrai il tuo scopo». No! Ha ottenuto il suo scopo non facendo quello che gli chiedevano, pur potendo farlo. Ma tra amici o tra ragazzo e ragazza – Dio mio! – come è evidente che il rapporto matura soltanto a prezzo di «mandar giù», di saper tacere, saper rimandare, aderire al tempo dell'altro!

A proposito della moralità hai detto che quanto più uno è cosciente della propria debolezza, tanto più non si chiude, ma mendica la verità

e, quindi, domanda. In me, spesso, non accade: mi chiudo in me stesso,
pensando sempre al mio errore, e non esco fuori di me mendicando
la verità.

Se veramente desideri una cosa, se veramente riconosci che una
cosa è giusta e vuoi che si avveri in te – si tratti del rapporto ultimo,
col Tu ultimo, si tratti perciò di moralità, oppure di compagnia,
di vita di compagnia –, se riconosci veramente che una cosa è giusta e la desideri per te, è contro ragione, è irrazionale chiuderti
per la difficoltà che senti in te: fatti aiutare! Devi fare un salto
che non riesci a compiere in montagna? Gridi: «Aiutatemi!». Altrimenti non è vero che vuoi fare il salto, non è vero che vuoi la cosa
che dici di desiderare. Quanto più sei teso a una cosa come giusta,
quanto più desideri una cosa, tanto più la tua impotenza non solo
non ti chiude, ma ti spalanca più vivacemente a domandare aiuto.
Ci sono due modi per realizzare un progetto: se ne ho la forza,
lo faccio; se mi manca qualche cosa e non ne ho la forza, chiedo
aiuto. Ritirarmi malinconicamente in me stesso è una posizione
disumana, irrazionale. Perciò, quando hai la tentazione di ritirarti,
datti un «colpetto»; anche se fai fatica, anche se ti ripugna, parla,
cioè *grida*. Se, quando io mi sono perso nel bosco di Tradate – ed
era, oramai, già quasi notte, e per due ore sono corso da tutte le
parti senza riuscire a ritrovare il sentiero –, mi fossi fermato, rin-
chiuso su di me, e mi fossi seduto disperato, sarei stato finito. Ho
gridato, e così ho avuto l'aiuto.

Quanto più è vero il desiderio, il giudizio positivo sulla cosa,
il riconoscimento dell'utilità della cosa, quanto più è grande il desiderio di essa, tanto più, se non puoi, chiedi aiuto. *Chiedere* aiuto
non è un'umiliazione, *è una completezza* di sguardo, di giudizio e
di affettività, è una completezza del giudizio razionale, del giudizio positivo che dai sulla cosa, e dell'affettività verso di essa. Chiedere l'aiuto di un altro ti compie, non ti avvilisce.

Questa mattina hai parlato di «appartenenza» e di «emozione» in
contrapposizione. Ma che cos'è l'emozione? Dicevi anche che l'emo-
zione porta alla solitudine, e ti chiedo: ciò che nasce da noi porta sempre
alla solitudine?

Quello che nasce da noi non porta alla solitudine solo se si tratta
di qualcosa che nasce da noi secondo il disegno e il progetto di
cui siamo fatti. Da noi nasce allora il desiderio di essere aiutati,

per cui dico all'altro: «Aiutami», così come dal bambino nasce il desiderio di mangiare e dice: «Mamma, ho fame». Invece, quell'emozione che porta al vuoto fa svanire la nostra consistenza e non porta ad alcuna produttività, è una *reazione*, una reazione che non è funzionale al progetto che siamo, alla figura dell'uomo come tale, alle necessità vere della nostra natura, a cose cioè che abbiamo ricevute da ciò da cui deriviamo, da ciò cui apparteniamo.

Un bambino cresce appartenendo a suo padre e a sua madre: quanto più appartiene veramente e vive veramente l'appartenenza a suo padre e a sua madre, tanto più cresce. Quanto più appartenete a qualcosa da cui derivate, da cui essere aiutati, da cui essere accompagnati a vivere, quanto più vivete la dipendenza da ciò che vi aiuta a camminare e a vivere, quanto più dipendete e vivete questa appartenenza, tanto più crescete. Se vi abbandonate alla vostra reattività, a quello che vi viene voglia di fare, non crescete, finite per impantanarvi, finite nel niente – lo si capirebbe, dopo, se si guardasse indietro. Perciò appartenere, *vivere l'appartenenza*, fa crescere.

L'appartenenza è a ciò da cui deriviamo, da cui abbiamo l'organico progetto del nostro sviluppo. L'organico progetto del nostro sviluppo è contenuto nel seme iniziale, il disegno per cui siamo fatti. Quanto più apparteniamo, tanto più cresciamo. Quanto più ci abbandoniamo alla emozione, alla mossa momentanea che qualcosa provoca in noi, tanto più finiamo, ho detto prima, nel niente, ci impantaniamo, non produciamo niente, diventa improduttiva la nostra espressività.

Tu hai detto che il rapporto tra l'uomo e la donna diventa il paradigma di ogni tipo di compagnia. Come è possibile l'appartenenza all'altro come segno dell'appartenenza al Mistero senza ricadere nella menzogna?

C'è una formula che io uso sempre, che sappiamo tutti e che vale la pena ricordare ogni volta. Siamo in un rapporto giusto con una persona quando, trattandola a qualsiasi livello e per qualsiasi motivo, abbiamo, più o meno esplicitamente e chiaramente, la prospettiva del suo destino; quando ci ricordiamo e rispettiamo il fatto che quella persona ha un destino. Allora, da questo pensiero, da questa prospettiva trattenuta o rinnovata, io traggo la capacità di discrezione, di rispetto, la non pretesa di possesso, l'eliminazione di una reattività bruta di violenza – tutte caratteristiche del rapporto che invece normalmente si instaura tra ragazzo e ragazza, perché è normale trattarsi come si tratta una cosa che si possiede, da cui si pretende, quindi. Questa è una caratteristica del valore del sacrificio: se tu pretendi, molto probabilmente, rendi più difficile che l'altro sia contento di te, e tante volte, tantissime volte, l'origine dei distacchi così brutti, così pieni di ferita, deriva dalla pretesa e dalla presunzione che l'uno ha vissuto verso l'altro. Invece, il rapporto sarebbe stato salvato da una capacità di distacco dalla pretesa.

Guardare all'altro nella prospettiva del suo destino. Questa è la dignità dell'altro, dignità che non ha il cane o l'animale e non ha qualsiasi altra cosa: la dignità dell'altro è nel suo destino. Perciò non ti tratto bene se in qualche modo, implicitamente o esplicitamente, io non rispetto il tuo destino. Si può crescere facendo diventare abituale, normale, questa coscienza della nobiltà dell'altro, dovuta al fatto che ha un destino infinito verso il quale cammina. Come si fa a giudicare l'altro in modo esatto e vero senza tenere presente questo? Come si fa ad amare l'altro in modo vero senza tenere presente questo? L'altro non può essere mai considerato totalmente mio. C'è qualcosa che mi eccede nel rapporto che ho con lui: se rispetto questa *eccedenza*, l'altro si sente trattato meglio, l'amicizia ha più possibilità di attecchire e l'aiuto vicendevole diventa più immediato. La nostra compagnia non può rimanere se non in forza di questa consapevolezza del destino comune. Tanto più che il destino comune l'abbiamo riconosciuto, ce ne è stata data notizia: il destino comune è tra di noi, Egli ci ha riuniti, siamo riuniti nel Suo nome. Ma io ritengo che sia umanamente più facile il pensiero che ti debbo guardare, amico, nella prospettiva del tuo destino; è più facile capire questa parola, questa formulazione, che neanche il dire «tu sei in rapporto con Cristo, ti devo rispettare per questo». Esige una maturità diversa questa seconda formulazione, mi pare.

Stamattina lei ha detto: «Per poter domandare occorre appoggiarsi sulla misericordia». In che senso?

Per poter domandare devi essere certo che l'altro abbia simpatia verso di te, che l'altro ti voglia bene, che l'altro voglia il tuo bene, che l'altro ti sia amico. Così come sono, come fa a essermi amico Dio? Cristo come fa a sopportare me, che faccio così e così, che sono scontento di me stesso? Come fai Tu, o Cristo, a sopportarmi, tanto da corrispondermi, da rispondermi – se Ti domando è perché aspetto la risposta? È perché sei misericordioso, hai una tenerezza verso di me come io non ho verso me stesso.

La cosa più impressionante per me in questi tempi è notare come tutto quello che si dice della profondità del rapporto tra l'uomo e Dio, e del rapporto tra gli uomini alla luce del rapporto ultimo con il Destino e con Cristo, ha una singolare premessa, una corrispondenza con l'atteggiamento del bambino, col modo con cui il bambino si rapporta ai suoi genitori. Tutto quello che ci diciamo del rapporto con Cristo e con Dio ha una analogia nel rapporto tra il bambino e i suoi genitori, che è il primo modo con cui il Mistero dell'essere si comunica alla nostra vita.

Che cosa significa che il rapporto con Dio determina il mio io? E, secondo, perché tristezza e letizia convivono?

Quanto più vivi l'appartenenza, tanto più cresci. Se tu sei fatto, nasci come da una sorgente; quanto più nasci da questa sorgente, quanto più ricevi il flusso di questa sorgente, tanto più diventi torrente e fiume, tanto più cioè diventi te stesso, la tua figura si organizza, si afferma. Perciò, è nel rapporto con Dio che l'io acquista la sua consistenza. È un altro modo per dire che non ci facciamo da soli, nasciamo da «qualcosa». Quanto più dunque io ho rapporto con questo «qualcosa» da cui nasco, quanto più lo ricevo, lo guardo, lo amo, lo abbraccio, lo *accetto*, tanto più *sono*: quanto più accetto tanto più sono. E questo è vero in generale: quanto più una persona è capace di accettare anche la morte, tanto più è un grande uomo, è un grande «io». Quanto più un ragazzo è capace di accettare di non avere la ragazza, e viceversa, tanto più ha consistenza e forza; quanto meno accetta la condizione in cui è, tanto più si deprime e svanisce, e non è buono a nulla, diventa sempre meno buono a qualcosa. Perciò, vale l'affermazione che ho fatto: quanto più sono capace di accettare – perché tutto proviene da prima di noi, dal fondo, dalla radice da cui nasciamo –, quanto più accetto, tanto più sono.

Prima non c'eravamo, ci siamo, a un certo punto esistiamo. Il primo avvenimento in cui ci esprimiamo, ci produciamo, qual è? Che accettiamo quello che ci viene dato, l'accettare ciò che ci viene dato. Tale accettazione dà la consistenza al mio io. Quanto più appartengo e quanto più questa appartenenza è consapevole, fedele, continuata, stabile, nonostante le obiezioni e le fatiche, tanto più è grande il mio io, tanto più è ricco il mio io. Questa – e qui si vede anche la risposta alla seconda domanda – non è felicità, ma può essere contentezza, letizia – la letizia non è felicità – o pace: perché la pace è il bene del cammino, così come la felicità è il bene della dimora ultima, del destino.

Tu hai detto che bisogna rispondere alla realtà, aderire agli stimoli positivi della realtà; ma se la realtà è negativa che stimoli positivi mi può dare?

Cosa vuol dire rispondere alla realtà? Vuol dire accettare l'avvenimento che la realtà è, e sviluppare le sollecitazioni che esso dà alla nostra capacità di cammino. Un avvenimento doloroso, la morte di una persona, la malattia di un familiare, una bocciatura, sollecitano il nostro io, la nostra persona: la sollecitano a un recupero di ciò che è vero, mi sollecitano a recuperare ciò che è definitivamente vero per me, qualcosa che dimenticavo o che ricordavo raramente. Perciò, accettare l'avvenimento, anche un avvenimento non «cattivo», perché non c'è nessun avvenimento cattivo, ma «doloroso», apparentemente contraddittorio a ciò per cui siamo fatti, significa sollecitare la capacità che ho di rapporto con ciò che mi costituisce al fondo o che costituisce più sicuramente la mia strada al Destino. Comunque sia, un avvenimento, quanto più è grave per noi, tanto più ci sollecita, ci urge ad aggrapparci, come giudizio e affettivamente, alla *sicurezza suprema* che abbiamo: la sicurezza suprema è il Destino, ciò da cui traiamo origine, ciò cui apparteniamo.

Nel contatto con la realtà siamo sollecitati a sviluppare il nostro rapporto con l'essere, il nostro rapporto con ciò da cui tutto nasce, da cui, soprattutto, il nostro io nasce. Nel contatto con la realtà siamo sollecitati e invitati a sviluppare la coscienza che abbiamo di ciò a cui apparteniamo, o del Destino cui andiamo, che è lo stesso. Se l'avvenimento in cui il contatto con la realtà si traduce – il contatto con la realtà è un avvenimento – è immediatamente contraddittorio alla nostra aspirazione, ciò ci costringe ad andare *più sotto*. Se tu nel fare una casa trovi terreno instabile, vai più sotto, scavi più sotto per trovare il fondamento, e sul fondamento giusto costruisci. Perciò, chi ha vissuto il dolore nella vita, se l'ha accettato, è perché dal dolore si è fatto condurre più sotto, nella profondità più vera del cuore. E così risulta un uomo a cui uno ricorre con più fiducia, che gli altri che lo conoscono stimano, ha una figura, una faccia più potente, ha un viso più umano. Chi vive senza dolore e senza fatica, nel tempo, se in qualche modo la sollecitazione al vero non gli arriva da altro, è insipido, cresce insipido, cresce più superficiale. Insomma, se siamo fatti e tutto ciò che accade nasce dalla stessa cosa da cui noi siamo fatti (perché tutto ha la stessa origine: dal mistero da cui trae consistenza la nostra vita, trae consistenza anche l'esistenza di tutto il resto), qualsiasi incontro nella vita, qualsiasi impatto con la realtà non ha altro scopo che sollecitarci a una più profonda conoscenza, coscienza e affezione a ciò da cui deriviamo e, perciò, al nostro Destino. Qualsiasi impatto con la realtà è destinato così a rendere più energica, più ricca, la nostra personalità.

Qual è la differenza fra il «sentimento», che è il passo per andare incontro alla realtà, e l'«emozione», che è uno slancio nel vuoto?

A questa domanda ho risposto ne *Il senso religioso*: bisogna capire, cioè, che cos'è il sentimento. Che cos'è secondo te?

Il sentimento è il passo per andare incontro alla realtà.

Il passo per andare incontro alla realtà non è il sentimento; il sentimento è lo stato d'animo che subentra al passo che tu fai verso la realtà. Il passo che fai verso la realtà si chiama «ragione» come origine e «volontà» come attuazione. Il «sentimento» è lo stato d'animo che si sviluppa e accompagna il tuo giudizio e la tua libera scelta della realtà. Mentre l'«emozione» è una reazione senza motivo adeguato, senza scopo adeguato, è pura reazione. Così che a un certo momento, come una punta calda che disperde in fretta il suo calore, essa finisce, e ti trovi freddo, freddo. Il sentimento è invece qualcosa che è destinato a permanere e a crescere: quanto più tu vivi consapevolmente il contatto con la realtà, tanto più il sentimento della realtà diventa grande in te – perché il sentimento, come dice *Il senso religioso*, è lo stato d'animo che subentra a ogni gesto della tua ragione e a ogni gesto del tuo amore, della tua affettività, della tua libertà –. Perciò, il sentimento è destinato a crescere, la reattività, invece, come nasce scompare. Quante volte abbiamo «reagito» con papà, mamma, amici, insegnanti, con chicchessia, e dopo due minuti ci siamo morsi le labbra perché abbiamo reagito in quel modo?

Mentre da una parte riesco a capire l'indispensabilità di un aiuto per quell'ascesa e avventura che è la vita, dall'altra sento qualcosa che si oppone, come la paura di spersonalizzarmi vivendo l'esperienza di una compagnia.

Proprio perché è «compagnia», essa trae tutto il suo significato e il suo valore dal fatto che aiuta i tuoi desideri a conoscere se stessi, a prendere coscienza di sé e ad attuarsi in un cammino adeguato. È «compagnia» perché ti aiuta nella consapevolezza di te e nel fare quel che è giusto. Altrimenti non è compagnia, ma è realtà nemica: è estraneità e quindi ostilità (tra estraneità e ostilità non c'è nessuna differenza), ciò che ti circonda rimane estraneo a te, cioè è nemico. Ma cosa vuol dire che l'altro è estraneo a te? Vuol dire che non gli interessa niente del tuo destino, dei desideri che ti sospingono verso la «grande scadenza», e perciò ti è ostile; ti è ostile nel senso che tu gli ingombri il cammino. In qualche modo l'altro tradisce così l'attesa che tu hai di lui, su di lui: l'attesa di un aiuto. Perché qualunque persona io veda, innanzi tutto mi aspetto una positività dal rapporto con essa. Se resta estranea, ferisce: l'estraneità è una risposta che ferisce. La ragazzina si innamora di un ragazzo e lo trova estraneo, freddo: è una risposta che ferisce.

La *compagnia* è tale — e si definisce come tale — proprio per il fatto che ti *aiuta a camminare*, a comprenderti e a camminare, altrimenti non è compagnia. E vi aggiungo il termine «vocazionale» — compagnia «vocazionale» — perché normalmente, cioè sempre, è un determinato tipo di gente che, in un ambiente di lavoro, in un ambiente di studio, in un ambiente logistico, in una necessità tua, in una tua affettività, si stringe a te, è più vicina a te — ed è da chi ti è vicino che l'aiuto a questa comprensione, a questa attuazione dei tuoi desideri, deve venire. Ma la risposta, nella sua essenzialità, è che la compagnia è tale in quanto ti accompagna, ti favorisce. Perciò non può essere fatta obiezione alla compagnia col dire che «con essa si disperde la mia personalità». Non è compagnia, se disperde la tua personalità! E ciò può accadere o perché gli altri, in fondo, ti sono estranei — e allora la compagnia diventa «compagnoneria», nel migliore dei casi —, o perché sono distratti nel modo di rapporto con te, o perché tu pretendi da loro quello che non ti possono dare, e sei tu, come dire, non saggia.

Qual è il limite fra l'emozione e il sentimento? E come è possibile capire il legame tra l'emozione e la solitudine?

L'emozione che favorisce un'ultima solitudine e un'ultima inanità, un ultimo smarrimento, un ultimo vuoto, è quella reazione, dettata da un impatto con la realtà, che non è sollecitazione alla ragione e non è sollecitazione alla gratuità, alla capacità affettiva. Ci può essere un aspetto dell'emozione che sollecita la tua intelligenza e la tua affettività, e un aspetto di essa che invece non la riguarda. Se segui il primo aspetto, l'emozione diventa la modalità con cui la realtà ti richiama a una vocazione. Se vedi un ragazzo di cui sei innamorata, c'è molta emozione in te. Molta parte di questa emozione è giusta, ti richiama a un giudizio sul tuo comportamento, ti richiama a una certa modalità affettiva del comportamento, ti richiama a un fare, mentre un'altra parte di questa emozione normalmente deve essere come sacrificata. Se vuoi salvare la verità della tua emozione devi «registrarla», devi dominarla, devi possederla, devi cioè utilizzarla per lo scopo che può farti raggiungere, per quella capacità di rapporto affettivo che può essere vissuto. Invece, quel tremore dell'animo che ti viene senza che vi corrisponda una ragione adeguata, senza che vi corrisponda una possibilità di comportamento e di azione, proporzionata al Destino, è qualcosa che ti centrifuga, è qualcosa che ti svuota: alla fine resti svuotata e tristissima.

Perciò, la parola emozione non necessariamente e sempre è negativa. L'emozione può essere un modo con cui la realtà ti chiama a un certo giudizio, a un certo comportamento, a una certa affettività. L'emozione che porta al vuoto è una reazione che sorge in te e non ha né ragione né possibilità di attuazione. L'uomo è quel livello della realtà in cui la realtà diventa cosciente di se stessa. E diventa cosciente pienamente di se stessa quando si accorge di essere un dinamismo teso ad un destino di compimento, di felicità: tutto ciò che in qualche modo non corrisponde a questo, e non suggerisce un comportamento possibile per sviluppare questo, è inane, è vuoto, porta al vuoto, è inutile perderci tempo, ti ci smarrisci dentro e basta.

Però, senza compagnia, tutte queste cose non diventerebbero fattori attivi e mobilitanti, educativi della nostra persona, e noi saremmo come gente che cammina nel folto di una foresta vergine, senza strada, senza capire dov'è.

Mentre elencavi ieri sera le caratteristiche dell'infantilismo dell'uomo contemporaneo, non mi era chiaro il passaggio dalla prima caratteristica (la mancanza di coscienza) alla seconda (la mancanza di moralità). In che senso la seconda è una conseguenza della prima?

Che cosa abbiamo detto della prima caratteristica, la mancanza di coscienza?

Mancanza del nesso fra ciò che si fa e la realtà nel suo orizzonte totale.

Mancanza di coscienza: un bambino si comporta senza avere questa coscienza, perché è un bambino. Invece, la seconda caratteristica, l'assenza di moralità, come l'abbiamo definita?

Come l'assenza di responsabilità di fronte al tutto e a tutti.

Vale a dire: nel tuo modo di agire non tieni conto del rapporto che c'è tra la tua azione e l'esigenza, l'utilità del tutto, rimanendo così chiuso in te stesso, egoista. All'azione sei sollecitato per essere utile alla totalità, utile al disegno totale. Perciò la seconda caratteristica dipende dalla prima: se non hai coscienza del nesso, come fai, nell'agire, a essere responsabile verso la totalità?

Non è automatica, quindi, la responsabilità?

Non è automatica nel senso che, senza coscienza del nesso, tu sei irresponsabile automaticamente. Ma puoi non avere coscienza del nesso e non esserne responsabile, se l'assenza di coscienza non è dipesa dalla tua responsabilità. In quanto l'assenza di coscienza non dipende da te, non è colpa tua, e non ti si può caricare della responsabilità della mancanza di utilità della tua azione rispetto al tutto. L'assenza di coscienza porta invece inesorabilmente ad attribuirti un'assenza di responsabilità, se l'assenza di coscienza è responsabile.

Hai detto che la presenza del Dio vivente è misericordia.

La parola che descrive ultimamente ciò che è il Dio vivente è la parola «misericordia».

Hai detto che la misericordia, per sua natura, è infinita. Però contemporaneamente hai parlato di una misericordia finita di un genitore e quindi dei genitori. Non è una contraddizione?

Perché contraddizione?

Non riesco a concepire come un genitore, che è il mezzo per il quale mi trovo su questa terra, possa avere una misericordia «finita».

Ha una misericordia finita nel senso che il partecipare dell'uomo all'infinito è sempre finito. Un genitore è misericordioso per natura fino a un certo punto. È misericordioso per natura perché nasce da Dio, è strumento di quel che Dio è per l'uomo, è strumento di quel che Dio è per te, perciò è tendenzialmente misericordioso. Ma essendo finito, non essendo infinito, la sua misericordia ha un certo limite, tanto è vero che a un certo punto si arrabbia e «ti pianta lì». Comunque sia, per rispondere a questa domanda basta pensare a se stessi. Se un ragazzo vuol bene a una ragazza, fino a un certo punto, molto vicino, è disponibile alla misericordia; *fino a un certo punto*: oltre quel limite, molto vicino, non è più disposto alla misericordia. Papà e mamma hanno più misericordia, in genere, ma oltre un certo limite anche loro non tengono.

Proprio perché nasciamo da Dio, come uomini abbiamo un'intelligenza e abbiamo una capacità affettiva; ma la nostra intelligenza è limitata, tanto è vero che ha bisogno di un cammino per svilupparsi, e la nostra affettività ha limiti che non riesce a superare e perciò richiede un'educazione diuturna. La partecipazione all'infinito non può essere infinita: è finita.

Ora, questa è la sorpresa del messaggio cristiano: che l'uomo piccolo, finito, se accetta il Mistero e vi aderisce con la sua libertà, è chiamato a partecipare all'Infinito direttamente. Ma questo è il *salto di qualità* che costituisce il destino dell'uomo secondo il cristianesimo, secondo l'affermazione di Cristo: diventiamo *figli come Lui*, eredi del Padre come Lui. C'è una infinitezza di destino sproporzionata a quello che siamo naturalmente.

Stamattina hai citato la frase di Kafka: «Anche se la salvezza non viene, voglio vivere in modo tale da esserne degno ogni istante». Hai definito questo atteggiamento (che a me, come prima impressione, sembrava sufficiente e dignitoso) insufficiente, perché comunque non si piega alla domanda del vero. Che differenza c'è tra desiderio del vero e domanda del vero, e che cosa permette il piegarsi del desiderio a domanda?

Il desiderio del vero non può non diventare domanda, se è desiderio autentico. La domanda inevitabilmente consegue da un desiderio autentico. Se il desiderio non si compie in domanda, non è un desiderio vero. È, per esempio, un desiderio scettico, come dire: «Sarebbe bello se accadesse, ma non può accadere». Sotteso alla frase di Kafka c'è questo giudizio, secondo me: «Non può accadere». Allora essa non ha la forza d'essere un desiderio vero e perciò non ha la forza di diventare domanda. Pensiamo invece a un uomo che dica una frase così perfetta e che l'attui come domanda: è un altro uomo, più felice, più utile, più compagno di cammino, più uomo.

Hai detto che non bisogna desiderare «prevenendo» la realtà; diversamente il desiderio si imporrebbe alla realtà. Lo vorrei capire concretamente.

È una frase di Abelardo: «Non bisogna prevenire la realtà col desiderio», nel senso che non puoi andare alla realtà con l'immagine di ciò che deve accadere, con la pretesa di ciò che deve accadere, perché sarebbe un tentativo di importi alla realtà, non di accettarla. Altra cosa, invece, è andare alla realtà colmi di desiderio, colmi non di un progetto formulato, ma di un'esigenza affermata. E questo è naturale, è giusto: quanto più vai di fronte alla realtà, ti impatti con la realtà, con un'esigenza fervida, tanto più sei un uomo. Il nucleo delle esigenze costitutive del nostro essere è ciò che ne *Il senso religioso* chiamiamo «cuore». Ora, quanto più vai all'incontro con la realtà con un grande cuore, colmo, ardente, con esigenze consapevoli e vive, tanto più vai con ricchezza, una ricchezza che ti permetterà di accettare la realtà per quello che ti dà. Se ti dà poco, valorizzerai quel poco. Se ti dà tanto valorizzerai quel tanto, non pretenderai da essa.

C'è un andare alla realtà con desiderio, nel senso di andare alla realtà con esigenza viva: questo è giusto, e ti fa utilizzare la realtà il più possibile, te la fa accettare, anche con fatica e con sacrificio. C'è un andare alla realtà con un desiderio già fatto, con un progetto già fatto, con una risposta già formulata riguardo a quello che tu ti aspetti: questo è pretendere dalla realtà. Ti faccio un paragone. Il tuo cuore è esigenza di essere voluta bene, di essere amata. Ognuno di noi ha, come esigenza del cuore, quella di essere voluto bene, di essere amato, di essere posseduto, di «appartenere a». Che tu vada incontro alla vita con questa esigenza è giustissimo, ti rende ardente nel palpito di vita che vivi. Se però tu identifichi con la tal persona la risposta a questa esigenza di essere amata, vai di fronte alla realtà con pretesa: quello ti dice di no, ti è estraneo, non si accorge neanche di te, oppure gioca un po' con te e basta, e tu sei distrutta. Il tuo errore è stato di andare di fronte alla realtà con una pretesa, di avere già fissato il piano della risposta al tuo desiderio. Il piano di risposta al tuo desiderio è fissato da chi ti dà il desiderio, dal Mistero che ti fa: si dice, in termini banali, dalla volontà di Dio, cioè dal disegno totale del mondo o, che è lo stesso, dalla vocazione. Vocazione indica la modalità esistenziale, storica, con cui Iddio chiama te, svolgendo quello che ti ha dato in rapporto alla realtà in cui ti fa imbattere. È Lui che stabilisce come l'impatto deve avvenire e qual è la risposta che questo impatto ti dà. Puoi essere tutta protesa a cercare l'uomo che ti sia compagno, ed è giusto, ma non sarebbe giusto se questo essere protesa fosse una pretesa. Se, per esempio, escludesse il fatto che Dio, attraverso l'evoluzione del tuo sentire e della tua affettività che in questa ricerca si realizza, a un certo punto ti facesse percepire come una urgenza di qualcosa di più grande e ti chiamasse in un convento. Scusami per l'esempio! Non aver paura dell'ipotesi, però; perché non è il convento, ma la verginità la questione, e la verginità è una capacità di affezione: senza di essa l'uomo non ama veramente la sua donna. La verginità è un ideale per qualsiasi cristiano, che si compone e si traduce in modi diversi, secondo i compiti che Dio dà.

Rispetto alla mia vita avverto che tutto, a partire dalla mia famiglia, spinge a che la realizzazione di me sia nel possedere quante più cose possibili, come la laurea oppure i soldi. È anche vero che uno «crede» di possedere, perché il tempo ti porta via tutto, ma poi, praticamente, uno tende ad affidare la felicità di sé alla realizzazione di questi obiettivi. Come è possibile evitarlo?

È possibile evitare un equivoco usando della propria ragione. La ragione identifica dove sta il bene, il vero. Ora, tutta la spinta a un certo possesso, a una identificazione della tua contentezza con un certo possesso – che non è il vero, perché, tra l'altro, una volta che tu hai raggiunto quel possesso, sei da capo, hai altri lamenti da tirar fuori – non è secondo ragione. Perciò, il modo per evitare questo inconveniente grave, in cui la nostra vita si affossa e si intristisce, invece che liberarsi e camminare verso la scadenza ultima con ilarità e con saggezza sempre più grandi, è usare l'*intelligenza*, la quale ha come suo compito proprio quello di percepire e di riconoscere i valori reali, veri, e l'*affettività*, che è l'energia per escludere ciò che tentano di importi o che tu tenderesti a far prevalere come reattività, come emozione tua, e per aderire invece a ciò che è più vero, più nobile, più dignitoso, più realmente costitutivo della tua crescita, più corrispondente alla tua personalità di essere umano. Usa l'intelligenza e la libertà.

È una esemplificazione breve quella che ci siamo data in questa conversazione, ma è necessario che questa conversazione sia prolungata, accompagni il tempo, accompagni la vita, e diventi il contenuto della nostra compagnia. Senza una compagnia non si può prolungare la domanda, non si può confermare l'intelligenza, non si può scoprire il vero, non si può aumentare la contentezza dell'affezione. È nella compagnia che il cammino si snoda, che la verità si mostra sempre di più, che la letizia trova sempre più spunti per affermarsi. E senza verità e senza letizia una vita d'uomo è povera, povera nel senso più brutto del termine, perché è una povertà che diventa meschinità o miserabilità. È miserabile l'uomo senza un'intelligenza del vero che si sviluppi e senza un'affettività lieta che si sviluppi. La compagnia è la strada. Per questo Dio ci ha fissato una compagnia, una compagnia vocazionale, una compagnia al Destino.

Una fede ragionevole

Vorrei rivolgerle una domanda che ha a che fare con la vita di tutti i giorni, e con l'intensità della vita stessa: che significato un giovane deve dare al tempo?

Il tempo rappresenta l'itinerario che il mistero − che ci dà la vita − realizza, svolge, per farci maturare in questa vita.

Ci vogliono due fattori per far diventare grande un seme. Il *primo fattore* è la somministrazione delle sostanze nutritive, gli umori che la terra cede al seme. Per l'uomo ciò si chiama *ripetizione*, cioè alimentazione continua. Il *secondo fattore* è il *tempo*. Il tempo è la condizione del cammino per lo sviluppo del seme, degli spunti di verità che Dio mette nella nostra natura, nel nostro cuore. Il cuore è alimentato da ciò che lo circonda, dalla compagnia, dall'insegnante a scuola, ecc., ma in ogni caso non si può prescindere dal tempo. Quindi non bisogna spazientirsi e non bisogna dire «questa ragione non vale»; calma, bisogna innanzi tutto «ripetere», cioè alimentarsi alla proposta. E aspettare il tempo: è nel tempo che una cosa si realizza.

Ho incontrato una mia amica che era triste per la morte di una nostra compagna. Io ho cercato di darmi delle ragioni, che mi hanno portato avanti. Lei mi ha confidato che aveva dentro queste stesse ragioni, se le ripeteva, ma sentiva che la vita era come se andasse da un'altra parte, indipendentemente da qualsiasi ragionamento convincente. La stessa cosa sperimento anche in me: c'è un distacco tra quello di cui sono convinta e come vivo; c'è di mezzo un tradimento.

L'uomo ha facilmente delle ragioni, ma poi praticamente, col cuore, si sente lontano. E siccome il cuore è il «motore», noi non aderiamo alle ragioni. Lo osservava già il poeta pagano Ovidio: «Senza che io me ne accorga, sono attratto da una strana energia;

da una parte la ragione che mi dice: vai di qui!, dall'altra l'istinto
che mi dice: vai di là». È la stessa divisione dentro la persona che
notava san Paolo. È la dimostrazione più impressionante del dogma
del peccato originale. Con la dottrina del peccato originale la Chiesa
intende affermare che c'è una divisione al fondo di noi stessi, per
cui l'unità della persona non si realizza: manca l'energia che fa aderire l'affezione alla ragione. La ragione ti dice: «È così», mentre
l'energia affettiva ti fa tendere altrove.

È questa la causa più acuta della tristezza di un uomo pensoso
e consapevole della sua dignità. San Paolo infatti esclama: «Me
infelice, chi mi libererà da questa situazione mortale?».

Innanzi tutto non dobbiamo meravigliarci. Quante volte ci siamo
sentiti dire: «Capiamo le tue ragioni!». Ma poi non aderivano, perché non erano interessati col cuore. Ora, l'uomo che voglia essere
uno, che voglia dire «io» (dato che l'io è un'unità), deve cercare
di aderire alla ragione. L'uomo infatti è quel livello della natura
in cui essa prende coscienza delle cose: la natura prende coscienza
delle cose attraverso l'io umano. Se la ragione fa dire «questa è
la strada», devo compiere tutta la fatica per aderire a questa indicazione. Aderire alla ragione è ciò che misura la dignità umana.
Non si può rifiutare questa fatica, questa sofferenza, perché questo è il vero lavoro umano. Si chiama anche moralità: energia
di cui un uomo dispone per far aderire il suo agire alla ragione.

Ciò presuppone un altro dovere, quello di illuminare la ragione,
e quanto più la ragione è chiara tanto più l'energia affettiva deve
aderire. Illuminare la ragione e poi compiere la fatica di portare
tutto il nostro io dietro la ragione significa vivere da uomini.

Per quanto riguarda il riuscire o meno... questa è la fatica del
cammino, e il tempo è prezioso al riguardo.

Un'ultima cosa voglio sottolineare: che si debba fare fatica per
seguire quello che la ragione vede con chiarezza è l'aspetto più drammatico della questione: è il seme del peccato originale. La resistenza
ad aderire è una potenziale ribellione a Dio, perché l'uomo vorrebbe che la vita fosse come vuole lui. Questa è la presunzione
e la menzogna più grande e più facile: che l'uomo pretenda di dettare al Mistero che lo ha fatto quello che lui vuole. Nulla è più
irrazionale.

Perciò da una parte non bisogna meravigliarsi di questa divisione, che è umiliante; dall'altra occorre lo sforzo di aderire alla
ragione per rifare l'unità, combattendo la ribellione o la rabbia irrazionale.

Io ho un dubbio: alcune volte ho la sensazione chiarissima che Dio non esista, anche quando prego, e cerco di autoconvincermi che Qualcuno mi ascolta; altre volte vado in Gs e sono contenta, è un'esperienza vera per me, ma magari di quello che mi viene detto non è vero niente... allora che ragioni ho per dire che Dio c'è?

Questa è una domanda giustissima! È la «Scuola di comunità» che serve a capire le ragioni e, se la fai, certamente, con calma, col tempo e con sincerità, potrai capire. Occorre ripetersi le ragioni che portano a Dio. Infatti, diventa problema grave la fede se non se ne scorgono le ragioni.

Quando sono entrato in classe per la prima ora di lezione tanti anni fa, la prima obiezione, prima ancora che iniziassi a parlare, fu: «È inutile, professore, che lei venga qui a fare religione!». «E perché?» domandai. «Perché per fare un'ora di religione bisogna ragionare, usare la ragione, ma la ragione non c'entra con la fede, perciò è inutile stare qui a ragionare sulla fede, dato che fede e ragione sono in contraddizione». Io sono rimasto fermo un istante, poi: «Scusami, cos'è la fede?». Si guardavano tutti attoniti, allora mi sono rivolto alla classe: «Scusate, cos'è la fede?». Neanche una parola! Allora, di rincalzo: «Cos'è la ragione?». Qui doveva essere il loro terreno, perché erano istruiti da professori anticlericali e razionalisti; invece silenzio, un silenzio mortale. Allora ho ripreso: «Come, usate parole di cui non sapete dare il significato e trinciate giudizi come se foste maestri di dottrina! Imparate prima cos'è la fede e cos'è la ragione, anzi, imparate prima il modo per imparare a capire queste due realtà». Se avete studiato *Il senso religioso* avete visto che questi problemi sono tutti esaminati.

Io dunque non mi meraviglio che a un ragazzo vengano ventate di nichilismo. Però non è vero che non c'è niente, perché se non ci fosse l'altro non ci saresti neanche tu. In secondo luogo fai benissimo a stare nella compagnia, anche se sei nichilista, perché ti fa star bene, ti dà sollievo, ti dà gente con cui parlare. Però questa compagnia non vuole farti solo compagnia, vuole farti compagnia veramente: con pazienza vuol farti capire i motivi per cui tu vivi e hai gusto a stare insieme. Capire questi motivi era quello che san Pietro chiedeva ai primi cristiani, tutta gente rozza e analfabeta: «Sappiate rendere ragione a chiunque di ciò che credete». Io voglio solo mostrarvi come la fede cristiana è piena di ragioni e che la ragione è la prima cosa di cui oggi gli uomini sono privati: perché la ragione viene oggi supplita dalle emozioni e dalle impressioni prodotte da televisioni e giornali. Perciò, continua così e segui la compagnia in tutto e abbi pazienza; col tempo capirai: segui quando cercano di aiutarti a capire le ragioni.

L'esperienza che ho incontrato è una cosa bella che dà gusto alla vita. Però restano come dei bei momenti, il cui ricordo mi spinge ad andare avanti. Ma nella realtà concreta di tutti i giorni, come la scuola, come si fa a vivere bene, a essere davvero contenti? Se una cosa è bella deve essere bella sempre...

«Segui la stella, non puoi fallir a glorioso porto...», diceva Dante. Se vuoi arrivare in cima alla montagna e a un certo punto vorresti desistere perché c'è un ghiaione, è l'idea di arrivare a vedere l'alba, in cima, che ti fa andare avanti... Analogamente dobbiamo diventare persone in cui l'ideale prende sempre più corpo stabile in noi, così che il cuore venga richiamato sempre più. Si chiama memoria: la memoria fa sì che, col passare del tempo, l'ideale diventi più familiare, come un richiamo e una compagnia continui, e ti faccia prendere gusto. Come ha risposto Gesù a Pietro quando gli chiese cosa ci avrebbero guadagnato, loro che avevano lasciato tutto per seguirlo: «Chi mi segue avrà il centuplo quaggiù». E io spiegavo ai ragazzi del liceo Berchet: «Centuplo quaggiù, capite cosa vuol dire? Che vorrò bene cento volte di più a mia madre, a mio padre, al ragazzo o alla ragazza, agli amici... cento volte di più prenderò gusto allo studio, cento volte di più sarò in grado di sopportare le difficoltà della vita!». E aggiungevo: «Che poco vi importi di credere o no in Dio, posso in un certo senso capire, perché nessuno ve lo insegna, ma che non vi importi di avere cento volte in più quaggiù, non posso proprio capirlo!». Gesù ha usato proprio questo paragone: «Chi mi segue, ha cento volte di più».

Però non c'è niente di automatico nella libertà: bisogna tutti i giorni riprendere il vero, il bene e il giusto. Questo è il valore della preghiera del mattino e della sera. Non esiste niente di più umano che riprendere la mattina lo scopo della propria vita, è una cosa grandiosa. Lo stesso alla sera, dopo la baraonda della giornata: finché imparerai lentamente a riprenderlo durante tutto il giorno.

Il padre di uno di noi, a cui è morta la moglie, rivolgendosi a un suo amico che aveva perso la fede in seguito alla morte di un figlio disse: «No, io l'ho conquistata adesso, vedendo gli amici di mio figlio, vedendo come loro avevano seguito il loro amico in questa vicenda triste». Sono fatti che non si vedono altrove. Speriamo che ognuno di voi diventi protagonista di questa umanità diversa, cioè più umana. Tutte le ragioni per Dio si riducono a questa: che *con Cristo l'uomo è più umano*. C'è un solo criterio ultimo, la *corrispondenza* all'umano: e niente corrisponde all'umano più di questo.

Da tempo desidero molto fortemente una vita che sia grande, ma non so che cosa sia una vita grande. Nello stesso tempo non voglio essere mediocre, perché desidero una cosa che in fondo non conosco. Spesso penso di non essere in grado, avverto i miei limiti, la mia piccolezza in un modo speciale. Però mi rendo conto, quando guardo le cose con lucidità, che quello che ho incontrato è veramente grande. Nello stesso tempo sono minata da qualcosa che insinua che questa «cosa grande» può essere un'illusione, ed è tristissimo, perché allora le ragioni per cui vivo veramente vengono scosse. Però capisco che è meglio andare avanti, continuare a desiderare, anche se è una cosa che pian piano sembra che mi distrugga...

Questa tua bellissima provocazione dice una cosa molto semplice: tu desideri essere grande. Ma perché desideri essere grande? Che cosa ti fa desiderare di essere grande? Un animale non desidera di essere grande, questo desiderio è proprio del cuore umano. Quella natura che ti spinge a desiderare cose grandi è il cuore, quindi seguilo. Cosa vuol dire seguirlo? Vuol dire paragonare tutti gli incontri che fai con quello che il tuo cuore ti dice e, quando corrispondono, seguirli. Così, andando avanti non solo non avrai la paura che sia un'illusione, ma capirai che in effetti non è un'illusione. Che sia un'illusione, infatti, è un preconcetto, un sospetto di chi è adolescente, cioè di chi non è ancora impegnato nella vita. Segui il tuo cuore e gli incontri che corrispondono all'esigenza del tuo cuore, e cammina.

Vorrei che chiarisse il significato della compagnia. E poi che spiegasse come può la Chiesa prendere delle posizioni così nette e affermare delle verità immutabili dato che vive nella storia e quindi può essere condizionata da fattori esterni. La terza domanda invece riguarda

*me: io adesso mi rendo conto di essere più certa di tante cose e quindi
assumo posizioni un po' polemiche con gli altri; però allo stesso tempo
ho paura di rimanere sola e quindi talvolta preferisco starmene zitta,
mancando di coerenza.*

La nostra amica dice che è polemica, esprime un concetto diverso
da quello che gli altri hanno, ma altre volte ha paura a far così perché teme di restare sola, e quindi mente... È giusto mentire per
non restare soli? No, perciò dì sempre quello che ti sembra giusto,
cerca di darne le ragioni e sta attenta alle risposte, ma non tacere
mai per paura di restare sola, perché resta solo chi non ha idee,
chi non ha ragioni, o chi vuole accanitamente rimanere solo, cioè chi
è cattivo. Detto questo il significato di «compagnia» viene di conseguenza: la compagnia è un camminare insieme verso il destino comune, è l'aiutarsi a camminare verso il destino comune. È
tale comune destino che ci associa, e solo là dove ciò si fa cosciente
si genera una vera compagnia. Per questo Dio diventando uomo
ha chiesto un'unica cosa: che la gente si mettesse insieme per il
destino comune. È la realtà della Chiesa, fatta di poveracci cui però
Cristo ha assicurato: «Io sarò con voi tutti i giorni fino alla fine
del mondo». Perciò la compagnia con Lui, cioè la Chiesa, proprio
perché è fondata su di Lui, può sapere e definire cose che l'uomo
non può sapere; altrimenti bisognerebbe concludere la tua obiezione sostenendo che non è vero che c'è Cristo! Ma se fra di noi
c'è il Signore, allora quello che noi sappiamo attraverso di Lui è
certo. Infatti l'atteggiamento più impressionante di chi vive la fede
nella compagnia è la tranquillità, la serenità. Invece la cultura dominante si comporta come la volpe della favola di Fedro: non riuscendo ad afferrare l'uva dice che è acerba. Cioè si scandalizza di
questa certezza; non essendo capace di generarla, ne è irritata.

Una volta in classe ho fatto questa affermazione: «Questi sono
dei fogli». Un'affermazione qualsiasi. Ma uno studente alzò la
mano: «Professore, lei non deve dire che sono dei fogli, non deve
esserne certo, lei deve dire che le sembrano essere dei fogli». Ecco
la terribile mentalità scettica che ci circonda; il destino dei cristiani
in questo mondo di ciechi è di affermare la certezza della verità.

In fondo non c'è niente che attiri alla fede più della certezza
a cui essa conduce. Perché la ragione è fatta di certezze, tant'è
vero che non può esprimersi, stando alla frase dell'esempio, che
con il verbo all'indicativo: «è».

Come posso comprendere la mia missione, la mia vocazione, cioè il modo in cui mi è dato di vivere la missione?

È una domanda molto matura. Quale che sia la missione, essa è l'espressione della ragione che è dentro la mente e il cuore. Darsi ragione della vita coincide col rispondere a questa domanda. Qual è la mia missione, in funzione di che cosa o, che è lo stesso, *come* devo servire il mio destino? Guarda, non ti preoccupare se non di una cosa: di amare l'ideale. Bisogna amare l'ideale nella sua concretezza, perché Ideale, Dio, Cristo, Destino sono tutti sinonimi. Ama il tuo destino, chiedi a Dio di aver chiaro e di amare il tuo destino, poi attraverso le circostanze Dio ti manderà dove deve mandarti. Non tocca a te scegliere la tua missione. Non avere paura, te la indicherà Lui. La vocazione non la sceglie l'uomo, gliela dà Dio, facendogliela trovare dentro un certo alveo. Però bisogna amare il destino, cioè amare la ragione del vivere; Dio esige la ragione.

Vi ringrazio per quello che mi avete fatto imparare con queste domande, tutte bellissime, il che significa che avete una vita viva in voi. Non abbiate fretta perché c'è il tempo, non abbiate paura perché c'è la compagnia.

La certezza di una presenza

Ti ringraziamo di cuore per aver accettato di essere qui tra di noi questa mattina. Ieri sera si diceva che, all'inizio di Gs, ascoltando la lettura del Miguel Mañara *di Milosz, i ragazzi di allora avevano scoperto di avere qualcosa di assolutamente nuovo tra le mani, di avere tra le mani un segreto da comunicare a tutti, perché senza quel segreto la vita non sarebbe stata una vita da uomini. Dentro questa esperienza, e leggendo questa estate* Il senso di Dio e l'uomo moderno, *per molti di noi è accaduta la stessa scoperta. E ti siamo grati di essere qui questa mattina perché è così possibile continuare un dialogo che è già cominciato. Ma chiederei ai nostri amici di Napoli di cantarci, prima d'iniziare, una loro canzone: può essere un modo bello per cominciare un gesto in cui chiediamo al Signore di rimetterci nella posizione in cui ci ha creati: la posizione di un cuore, di un occhio, di uno sguardo spalancato alla realtà.*

Le canzoni napoletane così cantate sono belle, perché racchiudono in sé, come in uno scrigno segreto, le altre tre canzoni prima cantate. Le tre canzoni di Claudio Chieffo sono qui dentro, si attuano dentro questi sentimenti così espressi. Ho sentito però che avete cantato anche *La sevillanas.* Desidererei che la ricantaste adesso, perché vorrei partire di lì.

SEVILLANAS DEL ADIOS

Algo se muere en el alma,
cuando un amigo se va...
Cuando un amigo se va,
algo se muere en el alma
cuando un amigo se va;
algo se muere en el alma,
cuando un amigo se va.

Cuando un amico se va,
y va dejando una huella,
que no se puede borrar;
y va dejando una huella,
que no se puede borrar.

No te vayas todavía,
no te vayas, por favor,
no te vayas todavía
que hasta la guitarra mía
llora cuando dice adiós.

Un panüelo de silencio
a la hora de partir...
A la hora de partir,
un panüelo de silencio
a la hora de partir;
un panüelo de silencio
a la hora de partir.

A la hora de partir
porque hay palabras que hieren,
y no se pueden decir;
porque hay palabras que hieren,
y no se pueden decir.

No te vayas todavía...

El barco se hace pequeño
cuando se aleja en el mar...
Cuando se aleja en el mar,
el barco se hace pequeño
cuando se aleja en el mar,
el barco se hace pequeño
cuando se aleja en el mar.

Cuando se aleja en el mar
y cuando se va perdiendo,
qué grande es la soledad;
y cuando se va perdiendo,
qué grande es la soledad.

No te vayas todavía...

Ese vacío que deja
el amigo que se va...
El amigo que se va,
ese vacío que se deja,
el amigo que se va;

ese vacío que deja,
el amigo que se va.

El amigo que se va,
es como un pozo sin fondo
que no se puede llenar;
es como un pozo sin fondo
que no se puede llenar.

No te vayas todavía...

Qualcosa muore nell'anima / quando se ne va l'amico. / Quando l'amico se ne va / e va lasciando / una traccia / che non si può cancellare. / Non andartene, ancora; / non andartene per favore, / perché anche la mia chitarra / piange quando dice addio. / Un fazzoletto di silenzio / al momento della partenza. / Al momento della partenza, / perché hai parole che feriscono / e non si possono dire. / La barca si va facendo piccola / quando si allontana sul mare. / Quando si allontana sul mare / e quando si va perdendo, / che grande è la solitudine. / Questo vuoto che lascia / l'amico che se ne va. / L'amico che se ne va / è come un pozzo senza fondo, / che non si può riempire.

Ho voluto che cantaste questa canzone, perché mi sembra un simbolo, il miglior simbolo che abbia trovato nei canti popolari, della differenza tra la posizione dell'uomo – qualunque idea abbia, qualunque sentimento abbia, in qualsiasi parte del mondo sia – e la posizione dell'uomo cristiano. La posizione di un cristiano sarà cosciente per uno su mille, ma la verità attecchisce in quest'uno e getta la sua luce sugli altri novecentonovantanove attraverso quest'uno: tu sei chiamato ad essere quest'uno.

La sevillanas, dicevo, è un simbolo: la barca, il naviglio che si allontana diventa sempre più piccolo, man mano che entra nel mare si fa sempre più piccolo, finché scompare. E non è vuoto questo naviglio, porta l'amico, e l'amico se ne va, se ne va con la barca che si allontana, diventa piccolo, un punto, un punto lontanissimo all'orizzonte, finché scompare. Il *cuore* dell'uomo, vale a dire ciò che nasce da una donna, in qualsiasi momento della storia, in qualsiasi luogo geografico, il cuore di un bambino che nasce da una donna desidera «quell'amico», o, potremmo dire, «un amico». Ma non esiste «un amico»: *uno*, *amico* (non dettaglio i motivi delle mie affermazioni; casomai, le sottoporrete come domande ai vostri amici più grandi). Il cuore di un bambino è fatto per scoprire, per starci a godere, per viaggiare per tutto l'universo senza posa, mai stanco e sempre lieto, in pace, curioso e soddisfatto, con questo amico, con «quell'amico». Man mano che il bambino cresce, la realtà che porta quell'amico si allontana, e con essa anche quell'amico: si allontana, diventa un punto, un punto quasi astratto, sull'ultimo orizzonte, finché, anche da lì, scompare. E il bambino diventato uomo resta sul ponte, appoggiato alla sbarra del ponte, con gli occhi ancora fissi sul niente – sul niente! –. Perché, nella versione più propizia e positiva, la realtà è come un pozzo che non si riesce ad esaurire, cioè uno vi annega. Non nel senso in cui Gesù diceva alla Samaritana: «Io ti dò da bere un'acqua che non ti fa più aver sete», che non significa: «Non ti fa più aver sete», ma: «Ti soddisfa sempre». Perché l'ideale dell'uomo non è: aver sete, metter la bocca in una sorgente, saziarsi, asciugarsi la bocca e andar via. No! L'uomo è uno che quanto più beve, tanto più gode, è soddisfatto, e tanto più ha sete. È una sete infinita, è un bere e un soddisfarsi *infinito*. Questo è il concetto di *felicità*. E quel bambino che nasce dalla donna, qualsiasi cosa diventi al mondo, comunque viva la sua vita, anche nel peggiore dei modi, non può del tutto eludere questo *destino* che è inscritto nella sua fattura originale.

Ho detto prima che la posizione cristiana è l'inverso della posizione dell'uomo normale: è come quella di un uomo rispetto a quella di un bambino. Il cristiano nasce «uomo». Qual è la differenza tra l'uomo e il bambino? L'uomo è *consapevole*, si dà le ragioni delle cose, cerca le ragioni, e le ragioni esaurienti, delle cose; e *ama*, ama ciò che trova, ama la ragione che trova, ama la verità che trova, abbraccia la verità che trova: ama. L'uomo sa, conosce, come termine di un lavoro, di una ricerca, e non è lì davanti alla cosa arido, come chi fosse davanti a un quadro del Beato Angelico senza capirci niente: è infocato. L'uomo, per natura sua, è fatto per infocarsi di fronte alla realtà; quanto più trova la realtà, quanto più penetra la realtà, tanto più s'infoca. Il bambino no: il bambino è percosso, sbarra gli occhi per la curiosità e lo stupore, e poi pensa subito al gioco. Per il bambino, la vita appare come gioco. Per l'uomo no, per l'uomo è una costruzione, è un edificio, è una edificazione, è un'avventura, è una storia, è qualcosa che cresce indefinitamente, e non c'è nessuna mossa che sia negativa: ogni mossa che l'uomo fa è come una pietra apportata alla costruzione. Tutto è utile perché tutto rende più grande... che cosa? Quello cui è stato destato dal niente. Non era niente! Tu non eri niente, e sei stato destato a qualcosa di cui si capisce che non puoi tu fissare e definire i termini, non puoi tu dettare le leggi, ma puoi solo – come uno che apra la finestra dopo il buio della notte lunga del suo nulla antecedente, stupefatto e pieno di desiderio – non finire mai di guardare e, perciò, di scoprire, di imparare. Così il cristiano concepisce e sente la sua coscienza, come ragione e come affezione.

Il cristiano, dunque, è un uomo, non un bambino; è quel bambino diventato grande, appoggiato alla sbarra del porto, che è là e guarda il mare nel quale non c'è niente, salvo quell'ultimo filo che si chiama orizzonte. Ma mentre per l'uomo solito quel filo d'orizzonte è il punto dove tutto annega, scompare – il *barquiño* della canzone è scomparso, era un punto, un punto, e poi è scomparso – per il cristiano quella linea d'orizzonte è come l'enigma, il mistero da cui deve effluire, deve fluire davanti a lui, deve arrivare a lui qualcosa: è una terra ignota, da cui deve arrivare a lui uno che porta una ricchezza inimmaginabile. Eppure il cuore, che non riesce a immaginare questa ricchezza, questa giustizia, questo amore, questa verità, questa felicità, il cuore che non riesce a immaginarla, ne ha però struggente bisogno. È da quell'orizzonte che deve venire. E, infatti, a un certo momento, appare un punto all'orizzonte, sulla linea dell'orizzonte: è questa barca. Questo *barquiño*, che è un punto, diventa sempre più grande; agli occhi dell'uomo attento che lo fissa diventa sempre più grande, sempre più grande, finché si delinea anche nei suoi fattori interni e si vede un uomo, il barcaiolo, seduto dentro. La barca si avvicina alla riva, attracca, e l'uomo che stava aspettando abbraccia l'uomo che arriva. Il cristianesimo nasce così, come *l'uomo che aspetta, che abbraccia l'uomo che arriva* dall'altrimenti enigmatico e prima ignoto orizzonte. Se togliete questa immagine non ci resta che una confusione presente, un nulla presente (perché la confusione è il niente), che s'afferma come niente, che s'afferma come confusione, man mano che il tempo passa, finché tutto viene assorbito dalla morte, dalla corruzione: un corpo che si corrompe, diventa un mucchio di vermi, poi cenere, cenere, terra; cioè un nulla confuso che diventa un nulla reale, niente: fra centocinquant'anni, niente.

Fra l'uomo normale e l'uomo cristiano sta questa alternativa tremenda: o il nulla o l'abbraccio con una presenza tanto desiderata, inconsciamente o consciamente – consapevolmente se si è oggetto dell'affezione di una compagnia –, attesa, inconsciamente o consciamente, comunque approdante alla nostra riva, qualunque sia lo stato del tempo, qualunque sia lo stato della nostra anima, qualsiasi siano i pensieri che si rincorrono nel nostro animo, qualunque cosa dica la gente fuori (qualunque cosa dicano, uno è reso intangibile e superiore a tutto quel che dicono). Questa è l'alternativa: un punto che se ne va verso il niente e ritorna in cenere, *«pulvis es et in pulverem reverteris»* (sei polvere e ritornerai nella polvere); oppure, stranamente, un punto che si riavvicina, come se la polvere si rianimasse, come nel canto 37 del profeta Ezechiele. Se avete una Bibbia, vi prego di andare a leggerlo; e poi passatela a chi non l'ha, perché lo legga; chi lo leggerà mi ringrazierà: niente in questi giorni avrete letto e pensato di più bello di questo capitolo; andate a leggerlo e poi ditemi quale pagina di letteratura sia più bella di questa. Narra di una valle piena di ossa, perciò di un mondo arido; e un soffio vibra su queste ossa, percorre quella valle, e le ossa si muovono, si attaccano l'una all'altra, e da quell'immenso mucchio di ossa nasce un popolo, un popolo umano, una compagnia umana.

Vorrei ancora accennare sinteticamente a questa alternativa, prima di rispondere alle vostre domande. E questa indicazione sintetica non potrà essere smantellata da voi, mai: potrete non pensarci, e allora non vi tormenterà, ma così azzererete voi stessi. Si può non pensarci solo se ci si azzera, se ci si odia, se si odia la vita.

Il primo capitolo del *Libro della Sapienza* nella Bibbia (dopo il capitolo 37 di Ezechiele andate a leggere il primo e il secondo capitolo della *Sapienza*), nella sua prima parte, elogia Dio che ama l'uomo, ama la vita dell'uomo, e fa l'uomo per la felicità. Poi, nell'ultimo versetto del capitolo, si dice: «Ma l'uomo cerca la morte», si odia. La storia è fatta come a sinusoide (su e giù, su e giù), però non è una sinusoide che non reca mai novità, è una sinusoide che avanza, c'è un destino che la «tira» e non può resistere. La sinusoide rappresenta l'affermarsi periodico della debolezza, della miscredenza, della malavoglia, del delitto, della cattiveria, del niente che uno si sente. Ma l'uomo non può «starci», non può starci al punto sotto: c'è una forza che ricrea l'arsi (dal greco *airo*, sollevare) e che lo fa rivolare. Poi dopo cade giù: però, su e giù, su e giù, avanza verso un alto, verso un'altitudine incomprensibile, verso una vetta che non si vede. Qualunque sia la vostra vita, non potrete evitare l'alternativa tra *il nulla* e *l'abbraccio con un Altro*, un Tu presente, che arriva dalle profondità dell'ultimo orizzonte, dall'enigma dell'ultimo orizzonte, e attraversa il mare, il mare che l'uomo percorre, il mare delle battaglie e della pace, il mare dell'odio e dell'amore, il mare dell'infelicità e della felicità, il mare della malattia e della salute, il mare del bello e del brutto, il mare, il mare che l'uomo percorre. Quel punto che nasce in fondo all'orizzonte percorre lo stesso mare, ma in senso inverso, *verso l'uomo*, e sbarca.

Immaginatevi l'uomo che ha aspettato e il personaggio che arriva, l'uomo che arriva: pensate come si avventano nell'abbraccio vicendevole. E l'uno non conosce l'altro, ma, pur non conoscendolo, sa cosa è; non sa chi è, ma sa cosa è: il *divino*, l'oltre sé, il più di sé, il Tu, un altro da sé che è come sé. Nei rarissimi casi in cui avviene, la coscienza che l'uomo ha della donna e che la donna ha dell'uomo, la coscienza che l'uno e l'altra hanno della verità del rapporto che si stabilisce fra loro, è come il simbolo meno lontano di quella intensità indescrivibile, ineffabile, che sta in quell'abbraccio per cui «non c'è più né giudeo né greco (nessuna divisione culturale, di civiltà), né schiavo né libero (nessuna differenza sociale), né uomo né donna (neanche una differenza biologica), ma tutto è una cosa sola in quell'uomo che arriva».

Sono Elena di Firenze. Dopo un mese di scuola una ventina di persone hanno occupato il mio liceo. È successo che il nostro manifesto d'inizio anno è subito sparito, i giornalini che stavamo facendo sono stati strappati perché erano considerati strumenti di plagio e quindi da distruggere, mi hanno impedito di parlare con studenti che venivano a chiedere il mio giudizio, addirittura mi hanno minacciato di non farmi entrare a scuola perché sono di Cl, e io volevo domandarle: perché tanta ostilità nei nostri confronti?

Sono tentato di rispondere adeguatamente a questa domanda, perché è la domanda cui abbiamo risposto per la prima volta quarant'anni fa nella scuola.

Quarant'anni fa, salendo i famosi quattro gradini al Berchet tra il marciapiede e l'ingresso della scuola, salendo quei quattro gradini io rispondevo coscientemente, pensavo coscientemente a questa domanda, mi ribellavo a questa domanda ed entravo per sfatare, per combattere questa domanda: *perché tanta ostilità?* Permettetemi, perciò, di rispondere – sarà l'unica domanda a cui risponderò così – analiticamente.

Prima di tutto, l'uomo, man mano che si sviluppa, perciò dal bambino in su – a quarant'anni peggio che a quattro anni, a trent'anni peggio che a tre anni –, man mano che si sviluppa l'uomo pensa, sente e quindi opera secondo lo *standard* creato dagli strumenti di diffusione sociale. Capite che duemila anni fa gli strumenti di diffusione sociale erano molto più ridotti, molto meno efficaci e più esterni, perciò la gente poteva essere inibita dall'imperatore e dai soldati dell'imperatore, ma tra di loro pensavano come volevano e facevano in fondo quello che volevano, molto più di ora. Adesso l'imperatore penetra te che sei nel tuo letto, nell'intimità della tua casa e leggi il giornale oppure accendi la televisione. Adesso gli strumenti che la scienza ha trovato per la comunicazione del pensiero sono gli strumenti del potere, e gli uomini diventano *schiavi*, come pensiero, come sentimenti e come azione, come impostazione della vita, *del potere*. Mai la schiavitù è stata così vasta, imperante, profonda come adesso. Adesso uno Spartaco sarebbe molto più difficile che emergesse. Nel mondo antico gli «Spartachi» sono stati tantissimi: qualunque uomo un po' geniale e coraggioso poteva essere uno Spartaco. Adesso, su un milione di persone non c'è uno Spartaco, non può esserci, perché è bloccato. Hanno accusato te di plagio: ma il plagio è il sistema normale della comunicazione del pensiero oggi. Perché ti avrebbero impedito di entrare a scuola? Perché erano plagiati loro! E tu sei entrata in scuola per quel tanto per cui non eri ancora plagiata, per cui pensavi tu e volevi tu.

La posizione dell'uomo oggi, se vuol salvare se stessa, è invitata ad essere ribelle – ribelle! –, ad essere «contro». Mi ricordo di un libro di un esegeta – si chiamava Garofalo – che incominciava così: «Gesù è entrato nel mondo in polemica col mondo»; in polemica vuol dire in guerra, contro, ribelle. Il cristiano deve essere per forza uno Spartaco: magari è mingherlino e prende quattro in latino, non molto di più in matematica, in italiano non sa esprimere il tema (fa come Pierino che consegnava normalmente il foglio in bianco), eppure può avere la forza del ribelle, se ha coscienza di se stesso come il cristianesimo lo sollecita ad avere.

Quarant'anni fa, proprio i giorni stessi in cui entravo per la prima volta in scuola... L'altro giorno, leggendo il libro *Si può vivere così?* (che è la pura trascrizione dei dialoghi tra un centinaio di giovani che entrano tra i *Memores Domini* e me), mi è venuto in mente questo: che cosa è partito dal piede destro che mettevo sul primo dei quattro gradini tra il marciapiede e la sala d'ingresso del Berchet! È partito tutto: se siete qui oggi è perché io ho messo il piede destro sul primo gradino tra il marciapiede e la sala del Berchet. Se siete qui oggi è per quello! Tutto! Se in Siberia, finalmente, c'è una parrocchia cattolica attiva, perché col parroco ci sono lì don Pezzi, che collabora con lui, e il gruppetto di ragazze dei *Memores Domini*; se tra gli Urali e Vladivostok (4-5000 chilometri) ci sono queste sei-sette persone, è perché sono state mosse dai loro amici che sono a casa, e questi sono stati a loro volta mossi dagli amici che sono venuti prima, che sono stati mossi dal piede che andava dal marciapiede al primo gradino del Berchet. È impressionante pensare che cosa nasca da un punto! Un punto, un passo!

Molto tempo fa ho letto su una rivista americana uno studio con dati statistici. Diceva, questo articolo, che un uomo (parlava degli americani) che avesse visto settimanalmente un film, dopo *tot* mesi o *tot* anni (non ricordo più quanti), pensava, sentiva e operava secondo la media della mentalità che dettava i film: era un burattino in mano ai registi, ai direttori delle televisioni. Erano studi fatti con statistiche adeguate. Immaginatevi adesso che ne vedete due-tre al giorno! La *mens*, che vuol dire il modo di misurare e di giudicare, è totalmente venduta, plagiata, in questo plagio universale, per cui per venti mesi Bossi o Berlusconi sono le vele più dispiegate al vento e ai marosi della storia, e dopo venti mesi calano l'uno e l'altro, finché scompaiono e altre vele emergono. Questa era l'idea fondamentale di Pasolini: l'orrore di quella che lui chiamava «omologazione», il livellamento di tutte le teste, di tutti i cuori e di tutti i metodi di vita, vale a dire l'uccisione di un popolo, perché un popolo è fatto di persone e non c'è una persona uguale all'altra, come pensiero, come cuore e come azione. Un popolo costruisce; gente omologata – anche se cento, mille volte superiore di numero – non crea niente: ripete, anzi, ripete scadendo.

In un mondo così omologato, in un mondo così plagiato, tutti vanno in una certa direzione. Per darci una figurazione, un esempio, diciamo: tutta la folla va in questo senso. C'è uno che dice: «Permesso! Permesso!», cioè viene contro. I primi si ritirano, lo lasciano passare, poi lo guardano; intanto che procede, lo guardano: «Cosa pretende? Cosa vuole quello lì?». Incominciano a parlarne: «Cosa vuole quello lì?». Poi lo prendono per il collo e gli dicono: «Dove vai tu? Vieni con noi!». E lui: «No, io vado di qui». E loro: «No, tu vieni di qua», e siccome sono di più... – che i meno la vincano sui più è verità, diceva il buon Giusti, posto che sia, nei meno, senno e virtù, potenza di pensiero e coraggio; ma non è di tutti, diceva don Abbondio, anzi, aggiungiamo noi, di pochi –. Quello, ritrascinato dentro la folla, siccome l'hanno picchiato a sangue, per sopravvivere fa come gli altri. Finché, ad un certo punto, dopo la storia passata, stanco com'è, la pensa anche lui come gli altri, oltre che comportarsi come loro. Immaginate, al contrario, uno che resiste, e invece di tre metri ne fa uno, ma avanti, contro, e grida: «La libertà innanzitutto, la libertà è l'uomo». Questo è il cristiano, nella storia questo è il cristiano, e se non è così non è cristiano. Ma non c'è bisogno di essere come dico io: il temperamento è il temperamento – e poi adesso devo farmi sentire! –. Uno può avere il fiato più ridotto del mio e la voce più debole, e quasi dir «no» con un soffio, ma essere resistente come un macigno. Resistenti bisogna essere. Come resistenti? Resistenti, resistenza... *rivoluzione*: è un rivoluzionario, e un rivoluzionario deve essere combattuto.

Qual è l'unica risposta all'omologazione? Fare la rivoluzione. Non è un concetto mio, è un concetto di Gesù, è la prima parola detta da Gesù: «Cambiate mentalità», cambiate modo di giudicare, di vedere, di sentire, di gustare, di amare, di fare le cose. E san Paolo, nella lettera ai primi cristiani di Roma, al dodicesimo capitolo, sintetizza tutta questa prassi e questo discorso che Gesù ha portato dentro il mondo come un fiume straripante che nessuno potrà mai fermare – e noi siamo la dimostrazione, dopo duemila anni, che nessuno lo può fermare –, nella bellissima espressione: «Non assumete gli schemi mentali degli altri, ma *metamorfousthe*, trasformatevi». Ma un uomo «è», se «trasforma»; cioè «è», se «cambia». Se non è capace di cambiare non è un uomo: è una cosa.

Non possono non odiarti – amica mia – perché non sei come loro. Non è che tu nasca contro di loro, anzi, nasci per gridare quello che loro desiderano nel loro cuore originale, che hanno soffocato perché plagiati anche loro; e vorrebbero plagiare te. Tu gridi in modo tale da risvegliare, se fosse possibile, nel loro cuore, l'assetto originale, la ragione, desiderio di piena spiegazione, di verità, e di pieno godimento, di felicità; tu gridi in modo tale da risvegliare questi sentimenti costitutivi di ciò che la Bibbia chiama il *cuore* dell'uomo, che in loro tutti e in tutto il mondo di oggi è soffocato, tace. Quando parla, per un istante tutto fa silenzio, come nella poesia *Il libro*, di Pascoli. L'uomo, che è lì come un invisibile che apre, sfoglia il libro della realtà – un libro posto su un leggio, nella

altana sopra la collina –, continua a sfogliare, sfogliare, e non riesce mai a trovare: in quel libro c'è il segreto del mondo e lui non
riesce a trovarlo. A un certo punto le pagine non si voltano più:
«Sosta... Trovò?». L'uomo ha trovato? «Un istante; e volta le contorte pagine, e torna ad inseguire il vero». Viene un Einstein, tutti
fermano il sospiro... Ci siamo, abbiamo trovato la formula finale!
«Un istante; e volta le contorte pagine, e torna ad inseguire il vero».
Cosa vuol dire, dunque, essere contrari alla omologazione generale? Se sei contrario alla omologazione generale non potrai essere
riconosciuto, non potranno lodarti, i giornali non parleranno di
te, a meno di far scandalo contro di te, le televisioni non ripren-
deranno la tua faccia (meno male! ma per alcuni è un danno: sono
belli!). Se sei così, tutto il mondo sarà contro di te, eppure capirai
che lo scopo della vita e il gusto della vita starà proprio nel continuamente gridare al mondo, incominciando da chi ti è vicino di
banco, quello che il tuo cuore e i cuori di tutti desiderano dalla
loro origine. Ma il cuore di tutti poi è soffocato; in te no, in te
non è stato soffocato: è stato, sì, soffocato, ma dopo una certa
parentesi ha fatto un incontro e si è rinnovato, e da quando si è
rinnovato non tace più, non può più tornare indietro. Non puoi
non essere perseguitata, amica mia, non puoi non essere odiata.
Ma è nel dolore di questa persecuzione che tu coverai il seme lumi-
noso e caldo della messe finale, del significato ultimo del mondo,
che un giorno tutti – tutti! – riconosceranno, tutti dovranno riconoscere e diranno: «Aveva ragione, aveva ragione!». Al di fuori
di questo scopo non c'è più né affezione, né amicizia. La prima
ora di scuola in una certa classe – non fu la prima ora in assoluto,
ma la prima ora in quella classe dove c'erano alcuni futuri mana-
ger dell'editoria e alcuni futuri capi del '68 milanese, e quindi era
un'ora di discussione furibonda, e lo fu fin dall'inizio – dissi:
«Come, siete nello stesso banco da cinque anni e non siete amici?
Andate in montagna insieme al week-end, andate al cinema: siete
conniventi, non amici. Ognuno protegge l'errore dell'altro, la falsa
libertà dell'altro. Ma non vi aiutate a creare nulla, a godere del
nuovo in nulla, non amate niente, non vi aiutate ad amare; uno
non darebbe un capello per aiutare l'altro, se non per un calcolo
per cui riavrebbe cento volte tanto. Sono cinque anni che siete
insieme nello stesso banco e non siete amici. Vuol dire che ciò che
imposta la vostra vita è falso, non è umano». Non è umano perché
l'amicizia è il prodotto più immediato di una umanità vissuta: così

man mano che uno cresce diventa «amico». E, invece, si è amici a sei anni, a dieci anni, ma a quindici si è già su due sponde opposte, o per lo meno ognuno va per suo conto. Volevo rispondere adeguatamente alla questione. E dicevo – primo punto – che l'uomo inevitabilmente è collocato dentro tutta la realtà umana in cui vive: o ne è plagiato oppure collabora ad una creazione comune, a uno scopo comune, a un destino comune, ed è creatore insieme agli altri. O è plagiato – è schiavo degli altri – o collabora con gli altri. Ma il cristiano appare nella folla del mondo come un individuo che va controcorrente, dice l'opposto. Il mondo dice: «Beati quelli che la fanno franca», e lui: «Beato chi sa aiutare»; «Beato chi è ricco», e lui: «Beati i poveri»; il contrario. «Beato chi identifica la felicità con il rapporto con la donna»; e la donna per l'uomo diventa così come un animale che presti la sua faccia alla zampa di un altro animale. Discerpe l'uomo il frutto dell'albero della donna, non lo coglie, non se ne ciba, non ne trae vantaggio, è una violenza, non un pasto comune.

Il cristiano entra dentro la folla del mondo dicendo il contrario degli altri: afferma che la vita è responsabilità, è libertà, che la vita dell'uomo dovrà render conto di questa libertà e di questa responsabilità. L'inferno è il concetto più importante nella concezione cristiana dell'uomo. Perché? Perché senza l'inferno non ci sarebbe libertà. È la libertà l'idea forte dell'uomo cristiano. La felicità deve essere *mia*; per essere mia, la felicità deve essere *liberamente* voluta e conquistata. Ciò che non è mio mi schiaccia. Perciò o la felicità o l'infelicità eterna: questo *aut-aut* è condizione indispensabile al concetto stesso di libertà.

Insomma, il cristiano entra «contro» la folla normale e parla di responsabilità, di libertà, di premio e di castigo, di felicità o di infelicità eterna; parla di rapporto col mistero, parla del veder Dio: è insopportabile! O è dimenticato o è insopportabile. Perciò vorrebbero non farti entrare a scuola. Per questo il problema politico diventa grave per noi: per queste cose. Perché noi vogliamo un governo che protegga la libertà, per cui possa entrare in scuola anche un cristiano. E non un cristiano all'anagrafe, ma un cristiano che sia cristiano, che dica, voglia, comunichi, descriva, esemplifichi, crei.

Se siamo qui è perché ci sono stati tanti di questi cristiani che hanno capito, hanno aderito, hanno detto, hanno gridato, si sono fatti ammazzare e poi hanno continuato, perché «*semen est san-*

guis christianorum», il sangue dei cristiani è il seme dei cristiani, diceva Tertulliano nel secondo secolo. La vita è una battaglia, *militia vita hominis*, ma una strana guerra; è una strana guerra che si combatte tutta quanta in se stessi, perché la resistenza all'altro, o la comunicazione all'altro, o la fedeltà al vero in mezzo alle grida ostili di quelli che non capiscono, è un problema di cuore tuo, non di odio loro, anzi, quanto più ti perseguitano e ti schiacciano, tanto più hai pietà per loro.

Insomma, è capovolto tutto, ma non per modo di dire, perché ognuno di noi è chiamato a sperimentarlo; donde per il cristiano l'importanza primaria del problema della conoscenza e dell'affezione, della *esperienza*. Senza sperimentare, né si capisce né si ama. La prima creazione del cristiano è *un'esperienza umana diversa*, e non può farlo uno da solo. «E se sono da solo nella scuola?». Crei una compagnia! «Ma io non sono capace». Tu sii fedele a te stesso, a quello che hai visto, a quello che ami, a quello che credi, ti giuro che entro un anno, due anni... Per un anno io ho parlato a scuola senza che nessuno mi seguisse – nessuno! –: i quattro che mi seguivano erano quattro ragazzi che avevo trovato sul marciapiede davanti alla scuola, andando a casa a mezzogiorno. Per un anno nessuno mi seguì. Il secondo anno eravamo alcune decine. Mi pare che adesso siamo un po' di più. Ma quando penso che siamo la presenza cristiana più consapevole di tutta la Siberia! Non lo dico io, lo dice il Vescovo di Novosibirsk, la capitale della Siberia. A Vladivostok hanno fatto il primo Sinodo dei cattolici di tutta la Siberia, e un ragazzino di quindici anni (i nostri amici sono lì da tre anni), che segue don Pezzi, si è alzato a fare la sua testimonianza. Sconvolgente! Tutti coloro che erano radunati nel Sinodo, per due giorni non hanno parlato che di quella testimonianza. Il giorno dopo il Sinodo, il Vescovo ha chiamato il nostro prete, poi le nostre ragazze, e li ha ringraziati per aver portato finalmente un esempio veramente cristiano tra il suo clero.

Sono Ilaria di Firenze. Volevo raccontare quanto mi è successo. Durante la prima lezione di filosofia il professore ha detto: «La mia vita non ha certezze, è tutta un dubbio. Ormai sono giunto alla conclusione che non esistono certezze»...

Come fa ad andare a letto? Spiegatemelo voi! Immaginatevi quel professore davanti alla porta della stanza: è questa la stanza o non lo è?

*E ha aggiunto: «La filosofia rivela proprio questa ricerca incerta
e farà cadere qualsiasi certezza voi abbiate». Ora, io volevo chiederle:
come si fa a raggiungere la certezza?*

Dunque, innanzi tutto, raggiungere la certezza è necessario per
poter camminare dalla finestra alla porta. Siete d'accordo? Vorrei
spalancare le braccia, ma c'è lei di fianco e non posso farlo, perché
non vorrei darle un pugno: è una certezza, io vi giuro che c'è qui
lei! Sono pazzo? È pazzo chi dicesse che non c'è certezza. Prima
di tutto, è sperimentalmente una menzogna. In secondo luogo, chi
dice così fa violenza alla evidenza dell'autocoscienza. La nostra autocoscienza, la coscienza che noi abbiamo di noi stessi, se legge in
se stessa il modo con cui la ragione nostra raggiunge gli oggetti,
capisce che questo modo può essere pieno di dubbi, può essere pieno
di incertezze, ma a un certo punto può raggiungere benissimo una
certezza. Il problema che tu mi hai posto è il primo problema che
ho dovuto affrontare a scuola; l'ho già raccontato tante volte (ed
è anche stato stampato tante volte), ma lo ridico ancora. Prima
ora di scuola, Seconda «E» del liceo Berchet di Milano. Entro e
sono lì tutti curiosi: erano tutti contrari, tutti; Pigi Bernareggi,
di cui avrete certamente sentito parlare, che è ora in Brasile, il primo
di noi ad andare in missione, e che ha fatto un grandissimo lavoro
nelle *favelas* di Belo Horizonte, era in quella classe, al primo banco,
seduto lì vicino a me: è stato tutto l'anno senza mai guardarmi
una volta; dopo è venuto, il secondo anno è venuto. Comunque
sia, entro, sto per salire sulla cattedra e vedo una mano alzarsi,
nel fondo, proprio all'ultimo banco, a metà. Era un certo Pavesi
(me lo sono ricordato vent'anni dopo, perché mi ha scritto per
il suo matrimonio dicendo: «Io sono quel tale che le ha rivolto
la prima obiezione a scuola»). Io ho pensato: «C'è già un'obiezione
prima ancora che io incominci a parlare». «Cosa vuole?», chiedo
io (davo del «lei», per i primi minuti). «Scusi, professore, ma è
inutile che lei venga qui (Ah, beh, grazie!, pensai), perché tra religione e scienza, cioè più propriamente tra fede e ragione c'è una
lontananza tale per cui la ragione può affermare una cosa e la fede
può affermarne un'altra; sono due rette sghembe (aveva anche del
sapere, della cultura, il giovane Pavesi)». Io sono rimasto lì, un
po' impacciato, per qualche secondo, e poi ho detto: «Mi scusi,
cos'è la fede?». Tutti i ragazzi si guardavano ridendo. «Cos'è la
fede? Se non mi può rispondere lei, mi risponda qualcun altro: c'è

qualcuno che sa cos'è la fede?». Nessuno! Allora mi sono fatto forte e ho chiesto: «Scusi, cos'è la ragione?». Questa volta nessuno più rise, tutti si guardarono e nessuno rispose. Allora sono partito io. «Non sapete cos'è la fede, non sapete cos'è la ragione, sputate sentenze sulla fede e sulla ragione e sul loro rapporto: ma questa è slealtà verso se stessi e verso la natura, è vigliaccheria di fronte al vero! Discutiamone!». Io dentro di me ho pensato: «È il professore di Filosofia che li plagia». E infatti, finita l'ora, fo per andar fuori e sulla porta si erge la piccola fisionomia di un certo professor Miccinesi, appena sfornato dall'Università Normale di Pisa. Mi fermo e dico: «Professore, ma questi ragazzi sono sfrontati: parlano di cose di cui non sanno nemmeno i contenuti». «Cosa, cosa?», fa lui interessato. «Parlano di fede e di ragione, dicono che la fede è contro la ragione...». Lui non mi lascia finire di parlare e dice: «Ah, ma anche la Chiesa lo dice!». La Chiesa? Io ho insegnato teologia tanti anni, eppure non ho mai insegnato che la fede fosse contro la ragione, anzi, mi pare un principio fondamentale del Cristianesimo che non solo la fede non è contro la ragione, ma la fede aiuta la ragione ad andare avanti dove essa non potrebbe arrivare». Lui mi disse: «Il Concilio Arausicano II...». «Lei fa anche storia – replicai subito – perciò dovrebbe insegnare lei a me che le frasi e le definizioni si debbono intendere secondo il contesto storico in cui vengono pronunciate. La Chiesa voleva dire che la fede può dire delle verità che la ragione non può dimostrare: che esiste il mistero lo dimostra la ragione, ma che il mistero sia Padre, Figlio e Spirito Santo, che sia trinitario, che la stoffa dell'essere sia comunitaria, su questo la ragione tace, oltre quella linea dell'orizzonte non vede più niente, anche il puntino scompare». La discussione andò avanti un po'. Io dovevo andare a fare scuola altrove e lui doveva entrare a fare scuola lì, ma tutta la classe si era rovesciata fuori dalla porta, era lì attorno seria a sentire la discussione. Io volevo che capissero dov'era il problema – ve lo ridico perché lo capiate anche voi, non so infatti se già lo capite –: «Senta, professore, io sono certo, certissimo che lei esiste davanti a me (ne ero certo, eh!); bene, le giuro che l'America, che io non ho mai visto, c'è come c'è lei qui davanti a me, sono certo che c'è l'America come vedo lei davanti a me. Questo è ragionevole o no?». Scelse di essere coerente con i suoi principi, perciò andò contro l'evidenza e disse: «No, non è ragionevole». Ho detto: «Ragazzi, il vero problema fra il vostro professore e me non è "la ragione e la fede", ma è il *concetto di ragione*, perché la differenza fra il vostro professore e me è questa: che per lui la ragione è un fattore dell'uomo che ha una dinamica fatta in un certo modo, per cui se non tocchi non puoi essere sicuro. Per me, che c'è l'America è dimostrato con certezza da tutto un complesso di indizi – tutta la gente che c'è stata e che è ritornata, tutta la gente che ci va e che ritorna –: si chiama *certezza morale*, certezza che deriva dal comportamento degli uomini» (ma questo dovreste averlo già studiato su *Il senso religioso*; se non l'avete fatto, andate a rivedere *Il senso religioso*, perché altrimenti siete sciocchi: avendo in mano strumenti adeguati a liberarvi dal gioco in cui la società vi tiene, se non vi liberate siete sciocchi: odiare se stessi è sciocco). La ragione è una cosa vivente che ha tanti modi di raggiungere i suoi oggetti, ha tante strade quanti sono gli oggetti: se io devo sapere chi è questa faccia impavida che mi sta fissando con gli zigomi leggermente sorridenti, devo guardare di qui; se io devo sapere chi è l'ultimo là in fondo devo guardare di là e fare così: sono due strade diverse (strada, in greco, si dice «metodo»): sono due *metodi* diversi. Qui una certa lunghezza d'onda, là una cert'altra lunghezza d'onda oculare. Così, per esser certo che il risotto a mezzogiorno non sarà avvelenato di cicuta volutamente messaci dentro – perché vi giuro che non lo sarà, vi giuro adesso che non lo sarà – ci vuole poco. Come ci vuole poco? Il vostro professore dovrebbe dirvi che non c'è sicurezza. Invece, precisato l'oggetto, con questo sistema che ho chiamato «certezza morale», una certezza che deriva dal comportamento degli uomini, quanto più sono umano io, quanto più quindi ho uno specchio in me di quello che fanno gli altri, con altrettanta certezza io vi dico che il risotto a mezzogiorno non avrà una quantità di cicuta mortale. Voi ridete, ma lo sapete che quello che dicono i vostri professori – come lei ha documentato prima – è il contrario di quello per cui voi ridete?

E poi, in fondo, secondo me, psicologicamente, per essere benevoli, dove sta il problema del professor Miccinesi e degli altri che esprimono quella posizione? È che confondono il *dubbio* col *problema*. Il problema è un interrogativo che la mente dell'uomo pone su una cosa. Porre interrogativi sulle cose è proprio dell'intelligenza. I ragazzi più intelligenti – se foste professori capireste subito – sono quelli che fanno immediatamente più domande, e non tanto per fare domande: sanno fare domande, sanno cioè domandare (vale anche nella vita, davanti a Dio, questo). Il dubbio non è una domanda, è già una soluzione! Le soluzioni sono tre: sì, no, ma. Il dubbio è il «ma». Prima di dire «sì» devi avere delle ragioni, prima di dire «no» devi avere delle ragioni, prima di dire «ma» devi avere delle ragioni, che ti portino al «ma»: loro non hanno nessuna ragione, perciò sono contraddittori, partono semplicemente con un preconcetto derivato dalla loro filosofia, mediato dalla loro filosofia per cui tutto è dubbio. Noi siamo amanti del problema, tant'è vero che siamo qui: se siete qui è perché, senza accorgervi, siete amanti della vita come problema, e questo è proprio dell'intelligenza e del cuore. Siamo amanti del problema e feroci combattenti contro il dubbio: dal dubbio nasce il niente, l'aridità del vivere, dal problema nasce la ricerca, la vitalità. Infatti il paradiso, per il cristiano, sarà un'eterna ricerca. Ma la ricerca è come una scala: fai il secondo gradino se hai fatto il primo, e se il primo «sta»: perché mai, infatti, dopo il primo gradino, quando fai il secondo gradino, il primo dovrebbe cadere? Se cade il primo, cade anche il secondo, cade tutta la scala. La *certezza* è la *condizione del problema*: per porre un problema devi essere già certo di qualcosa, già certo innanzi tutto e soprattutto di questa presenza commovente, affascinante, misteriosa che è il cuore dell'uomo. Come hanno detto gli universitari di Bologna in risposta a un discorso di Eco, quando hanno parlato di «fame e sete di verità». Il cuore dell'uomo è «fame e sete di verità», perché l'amore non è nient'altro che la verità scoperta e abbracciata: la verità è infatti un presente, è uno presente: uno, presente. Non c'è nessun'altra parola più potente di queste: *uno*, persona, nessun'altra parola è più grande della parola «persona»; *presente*: per capire qualsiasi cosa devi partire da un presente; se non è presente non puoi afferrare più niente.

Sono Maria di Modena. Volevo chiedere che rapporto c'è tra ciò che mi interessa e l'idolo. Ciò che mi interessa rischia sempre di diventare il mio dio? E poi: in che senso la nostra compagnia può diventare un idolo?

La prima domanda è: «che rapporto c'è tra ciò che mi interessa e l'idolo?». L'idolo è «qualcosa che mi interessa» fatto diventare unica cosa o ultima cosa che mi interessa. L'ultima cosa che mi interessa è invece qualcosa che è oltre ciò che adesso mi interessa. L'idolo è rendere «assoluto» una parzialità, qualcosa di parziale. Fai bene ad essere innamorata del tale perché è un bel ragazzo; ha il naso un po' come il mio, però se non guardi il naso... Ti ricordi

Piccolo mondo antico di Fogazzaro? Alla giovane e bella signora, di quel vecchione, non andava giù il naso e allora non si decideva a sposarlo. Invece il tuo caso non è così, è un po' meno di così... Fai bene, dicevo, ad essere innamorata di quel ragazzo, ma lui – per quanto sia bene esserne innamorata, e ti auguro di sposarlo e di avere sette figli, perché è più gustoso avere sette figli che averne uno solo –, lui non è tutto. E tu non fai fatica assolutamente a capire che non è tutto: se crepa, se gli viene il cimurro, se gli viene il tremore alla mano... in nulla torna quel paradiso in un momento, direbbe Leopardi: «Se un discorde accento fere l'orecchio, in nulla torna quel paradiso in un momento». Se c'è una piccola contraddizione, quello che era un idolo dimostra di essere un idolo. Si chiama idolo perché è costruito da noi. Una cosa che ci interessa, se ci interessa, è giusto che noi la vogliamo, la desideriamo, la perseguiamo, ma questa cosa non è l'assoluto. Noi possiamo attribuire il valore di assoluto a quella cosa, ma il tempo dimostra che non lo è: il tempo ci fa passare la voglia o fa passare ciò di cui abbiamo voglia.

Per la seconda domanda è lo stesso: la nostra compagnia diventa idolo quando ci aspettiamo tutto da essa, come se la compagnia potesse rispondere, corrispondere a tutto, creare tutto. Invece la nostra compagnia è uno strumento di cui un Altro si serve, a certe condizioni, perché tu capisca e abbracci sempre di più. La nostra compagnia è una compagnia in cammino verso la cima. Non è ancora la cima, ma senza di essa non sapresti più dove andare. Gesù, almeno, ha scelto questo mezzo, ed è stato intelligente, perché ha scelto il mezzo più umano che ci sia: non c'è nessun mezzo più umano che la compagnia – tant'è vero che per fare entrare nella vita Dio fa una compagnia, la famiglia, e per fare affrontare la vita e crescere ha fatto una compagnia, la famiglia –. Ma la famiglia, quando hai quindici anni, se è ancora un esauriente aiuto per te, è perché non sei sviluppata tu; ti ha fregato, la famiglia ti ha fregato; invece di aprirti ti ha chiuso. E la cosa dura per tre anni ancora... Così sei fregata del tutto e ti ribelli. La famiglia ha voluto stringere, stringere, tenerti lì, e dopo tre anni è costretta a vederti fuggire: fuggi di casa. Allora mandano la polizia, fanno indagini, ti trovano e tu dici: «Ma ho diciannove anni, cosa vogliono?».

Nell'*Ave Maria* di Claudio Chieffo c'è questa frase: «Fa' in modo che nessuno se ne vada». Faccio l'augurio che nessuno se ne vada, chi se ne va ci perde!

Amanti della verità

Vorremmo rivolgerti tre domande, che ci sembrano all'origine di tutte le questioni che abbiamo affrontato insieme questa mattina, e possono, quindi, essere particolarmente utili per aiutarci ad avere una posizione sintetica.

Molti interventi di questa mattina hanno descritto una situazione che cambia, un tempo che cambia, un tempo in cui noi siamo che si rende per molti aspetti difficile, una situazione che ci stringe; e volevo chiederti: in questo tempo, che potrebbe assumere anche caratteristiche peggiori di quelle che adesso ha...

Potrebbe diventare di caratteristiche peggiori: la terza guerra mondiale, da uno dei più grandi politologi, è stata fissata per il 2020: chi vivrà vedrà...

In questo tempo, dove si àncora la nostra ripresa continua?

Tre minuti fa Vidmer mi ha passato il volantino con cui i nostri amici di Bologna hanno risposto al discorso inaugurale dell'Anno Accademico di Bologna pronunciato da Umberto Eco. Leggo il loro manifesto perché mi sembra significativo come introduzione alla risposta da dare alla domanda fatta, se già non ne è la risposta completa. Mi congratulo, comunque, con coloro che l'hanno scritto. Il titolo del volantino è: «Il giullare dell'Apocalisse, ovvero quando il falso diventa scienza». Lo leggo, dunque.

«I nostri più fervidi ringraziamenti per la dovizia di particolari, la splendida coreografia allestita da Umberto Eco per l'inaugurazione dell'Anno Accademico 1994-95: in un'ora scarsa è riuscito a leggere un'intera bibliografia senza annoiare l'uditorio. A sentirlo, la storia s'è mossa solo perché qualcuno voleva giocare e, a seconda dei secoli, ha operato finte donazioni, finte sette segrete, finti regni d'oltre confine, finte cosmologie, finte alchimie; e tutto questo "finto" ha creato qualcosa: Sacro Romano Impero, scoperte geografiche e astronomiche, la chimica, ecc... Che sia falso anche Eco? ci siamo chiesti [a sentire queste applicazioni viene infatti da pensare: se tutto è falso perché lui dovrebbe fare eccezione?]. A sentirlo, dunque, tutto è accaduto per hobby. Allora, se tutto è un giro di giostra, perché e per chi esiste l'Università? Perché noi studenti facciamo l'Università? Abbiamo bisogno di lavorare, sposarci, fare soldi, figli: perché perdere cinque-sei anni dentro questo box di giochi falsi? Perché? Per la forza che in sé ha il falso?». Questa è una domanda chiave. La «forza» a chi la attribuiamo? Guardando il mondo e la vita, a chi attribuiamo la forza? Chi stimiamo (attribuire la forza vuol dire stimare)? Il falso o il vero? L'impostore o chi si svela e muore per testimoniare il vero? Chi scegliesse la prima risposta sarebbe impostore lui, ma ritorneremo dopo su questo argomento. «Nove secoli fa – prosegue il volantino – l'Alma Mater bolognese non nacque per il divertimento (per questo c'erano ancora vino buono e bordelli); era, invece, per una educazione ad "aver fame e sete"; era per fame e sete di verità, non di falsità. È questo che vogliamo imparare: avere fame e sete. Questo è ciò che vogliamo ci sia insegnato. Invece, guai a coloro che sanno già e a coloro che non si aspettano niente! Guai ai soddisfatti, per i quali la realtà è casomai puro pretesto alle loro agitazioni mentali, evasione e spreco! Aveva ragione la nonna di Eco (citata durante questa lezione inaugurale): "Studiano, studiano, e sono più bestie degli altri"; ma il nipote giullare non è riuscito ancora ad imparare la lezione».

Oltre che congratularmi con Enzo, Vidmer e i loro compagni, vorrei adesso sottolineare perché sono così entusiasta di questa risposta. Avendo già accennato a questo «perché», lo voglio illuminare per chi stenti a comprendermi. Diceva il volantino: «Abbiamo bisogno di lavorare, sposarci, fare soldi, fare figli [a parte il fatto che, senza figli, l'umanità non andrebbe avanti]... Perché perdere questi cinque-sei anni dentro questo box di giochi?», perché, cioè, perdere il tempo per acquistare falsità? Ora, come facciamo noi a dire: ho bisogno di sposarmi, di avere figli, ho bisogno di soldi, di lavorare, cioè di esprimermi construendo, collaborando alla costruzione del mondo? Tutto questo lo percepiamo come positività traboccante, come una *positività*.

L'*essere*, ciò che esiste – come dice la Bibbia nel primo capitolo del *Libro della Sapienza*, che vi pregherei di leggere stasera; anche se foste atei, andate a leggere il primo e il secondo capitolo della *Sapienza* –, l'essere indica positività, la *realtà* tutta indica *positività*. Chi partisse col giudizio: «La realtà è un falso», è falso lui, perché la realtà non si presenta all'uomo come falso: si presenta come «è», si presenta cioè come positività. Tant'è vero che – come diciamo ne *Il senso religioso* – il sentimento più originale dell'uomo, che lo spinge ad aprire gli occhi e a ricercare, ad afferrare le cose, a sviscerare le cose, ad addentrarsi nelle cose, a costruire una cosa sopra l'altra con le cose già possedute, si chiama *curiosità*: la curiosità è per un positivo, non è per un falso. Certo, anche la curiosità può essere per un falso: per l'uomo sicuro di sé, dominatore degli altri, che vuole avere momenti o tempi di gioco.

Il bisogno di lavorare, di far soldi, di sposarsi, di far figli, eccetera: còme mai i nostri amici di Bologna oppongono al discorso di Eco tutto questo come «fame e sete» di qualcosa di *positivo*, di *essere*, di cosa che *c'è*, non di una falsità? Dove trovano questo bisogno come positività? Dove trovano che fare famiglia, fare figli, lavorare, costruire è positività, che l'essere è positività? Dove trovano il fondamento della loro risposta? Ve lo domando sul serio: non è possibile che nessuno lo sappia! Nella *realtà*. E la realtà dove emerge, dove la si vede? Nell'*esperienza*! Chi non parte così, chi non dice quello che dice partendo dall'esperienza, parte da un preconcetto, che può fruttare anche miliardi! Di fronte alla realtà uno si crea il preconcetto che vuole, e da quel preconcetto getta la sua ombra sulla realtà, colora la realtà secondo la sua immaginazione. Invece la partenza originale dell'uomo non è quello che egli pensa sulla realtà, ma è la realtà stessa. E la realtà emerge in quel fenomeno che chiamiamo «esperienza». È nell'esperienza che noi troviamo, come prima parola, la curiosità di cui abbiamo parlato prima.

Tutto è falso se tu sei falso. Se tu sei falso nel tuo rapporto con la realtà, non hai fame e sete di verità, perché il tuo cuore è corrotto. Lo penso sempre quando, per caso, passo davanti alla televisione e vedo qualche immagine dei film dell'orrore. Capisco che ci possano essere tanti cui piacciono i film dell'orrore. Ma i film dell'orrore, statisticamente, si diffondono come indizio della fine di una civiltà e dell'emergenza della corruzione. È solo un cuore corrotto che può dire: «La realtà è falsa». Non si può dire: «La realtà è falsa», se non con un'immagine che tu, dal tuo cuore infelice, crei, obbiettandola a una realtà in cui c'è il sole, ci sono le stelle, il padre, la madre e, soprattutto, c'è questo desiderio inesauribile di felicità, di bellezza, di amore, in cui la stoffa del nostro respiro – il nostro respiro di uomini – consiste.

La risposta dei nostri amici di Bologna è vera perché parte dalla loro esperienza; accostano la realtà come emerge nella loro esperienza. E la realtà emerge alla loro esperienza come attrattiva verso scopi che, incastrandosi l'un l'altro, articolandosi l'un l'altro, creano: creano un popolo, una civiltà, la storia. E non bastano queste parole, perché *c'è un filo* che procede in questa costruzione della civiltà e della storia – come procede la tua vita a dieci, quindici, vent'anni, studiando come fai, poi lavorando, sposandoti, avendo figli, raggiungendo così tutti gli scopi che ti interessano per natura, per forza di realtà, per esperienza umana che vivi –, c'è un filo che sottende tutto questo, ed è il filo che chiamiamo «porta al destino»: c'è un *punto di fuga*. Questo sì! Quanto più la realtà si percepisce nella sua concretezza, tanto più essa appare nella sua insoddisfazione finale.

Ma l'insoddisfazione finale è, casomai, una tristezza, non una falsità. La falsità, infatti, come preconcetto da cui si parte, è il fuoco di fila che noi urgiamo, creiamo, per proteggere la nostra ritirata dall'impegno con la realtà, dalla responsabilità verso il tempo che passa. E tutto è meglio chiamarlo, allora, con le parole di Eliot, quando parla del mondo senza uomo, senza la coscienza dell'uomo, senza il cuore: il mondo senza il cuore è «deserto e vuoto», un abisso deserto e vuoto. Il *nichilismo*, allora, questa sì, è un'alternativa, starei per dire, degna; degna per l'infinita disperazione in cui precipita. Ma chiamare tutto «gioco» è proprio di un uomo ricco, fortunato, che non sente il dolore dell'altro. Una volta, vent'anni fa, ero in treno da Tradate a Milano e nello scompartimento con me c'erano quattro professori di fisica – atei, naturalmente comunisti – con i quali mi sono messo a discutere. Dicevano: «L'uomo può far tutto». Questa era la posizione. Che l'uomo possa far tutto lo si vede dalla posizione presa di mira dal volantino! L'uomo può far tutto come falsità, come impostura. L'uomo non può far niente da solo: «Senza di me non potete far nulla», disse quell'Uomo alla fioca luce delle fiamme in quella sala prima di morire.

L'affermazione di uno che dica: «Tutto è falsità» è la scelta che un animo cattivo fa di una proiezione maligna, malvagia, demo-

niaca, diabolica. «Il diavolo è il padre della menzogna, quando dice
la menzogna la tira fuori dalla sua natura», dice Gesù nell'ottavo
capitolo del *Vangelo* di Giovanni: è il cuore malvagio, infatti, che
può dire così. Stavo dicendo che allora è preferibile e più com-
prensibile, come alternativa all'essere positivo delle cose, il nichilismo, che nella sua natura tragica, ultimamente tragica, conferma
il destino di felicità che l'uomo ha.

Comunque sia, quel che nel volantino viene espresso spiega bene
la razionalità della posizione degli amici di Bologna: la *razionalità*
sta, infatti, nel riconoscimento, nella percezione di ciò che è la realtà
come emerge nella esperienza. La razionalità è la caratteristica *trasparenza* che qualifica l'emergenza della realtà stessa nell'esperienza,
e l'esperienza è il fenomeno in cui la realtà diventa trasparente e
si fa conoscere – come in una radiografia, quando sullo schermo
appaiono tutti i componenti del torace di una persona. Essere ragio-
nevoli significa riconoscere quello che emerge nell'esperienza. E
nell'esperienza la realtà emerge come positività. È così positiva la
realtà emergente nell'esperienza, che inesorabilmente appare come
attrattiva: è positività perché si manifesta come *attraente*. Invece
di «attraente» potremmo mettere un'altra parola, più intensa e più
densa, che fa presentire la presenza di qualcosa di eccezionale, di
misterioso: *promettente*. Vi ricordate la poesia di Leopardi, *A Sil-
via?* La falsità non è una promessa: la falsità è, appunto, il gioco
di chi vuol prendere in giro tutto e tutti per trarne profitto, sfrut-
tando la vantaggiosa concezione della sua figura diffusa. La figura
di un falso contagia e si diffonde solo in un'epoca di falsità. La
nostra è *un'epoca di falsità*. Non si riconosce infatti più il senso
al tempo: il tempo non ha senso. Da questo punto di vista, la posizione contro cui i nostri amici hanno reagito è una espressione precisa della mentalità comune: è importante l'istante, e si soffoca,
si strozza nell'istante l'ampiezza di un grido che rimanda al futuro:
«la fame e la sete» di cui essi hanno parlato.

Gli amici di Bologna sono stati, dunque, innanzi tutto razionali,
perché hanno letto la positività con cui la realtà si promette al loro
cuore attraverso quella trasparenza che si chiama ragione. Non solo
hanno applicato la ragione, ma hanno applicato anche qualcosa d'altro: quell'*attaccamento* originale che l'uomo ha alla realtà. La realtà
si presenta all'uomo e l'uomo è attaccato alla realtà, come è attaccato alla terra solida su cui mette i piedi. La curiosità, infatti, non
è soltanto fame e sete di conoscere; la curiosità è fame e sete di

conoscere perché la natura dell'uomo «ci tiene», è affezionata alla realtà. L'esperienza fa emergere la realtà come qualcosa cui l'uomo è affezionato. Tutte le forme vere di realtà affezionano l'uomo. E infatti: lavorare, far soldi, sposarsi, far figli, sono tutte cose cui l'uomo è affezionato. Non si può riconoscere la realtà se non in quanto essa è, quindi, totalmente promettente: promettente per la fame e per la sete di verità dell'uomo e promettente per l'affezione dell'uomo. Dire che la realtà – come gridava Leopardi – promette per un inganno, promette senza mantenere, è introdurre violentemente un preconcetto. Se la realtà ti appare come solida e attraente, se la segni, vedrai a che cosa ti attrae.

Come mai, allora, ci si può disgiungere dall'evidenza di questo riconoscimento e dalla naturalezza di questa affezione? Qui entra in gioco il terzo fattore con cui l'uomo è in rapporto con la realtà: la *libertà*. La libertà è come una lama, può essere come una lama che si introduce fra la realtà come evidenza, così come l'esperienza la dà, e la realtà come cosa che attira, che affascina, che ti sciocca, ti colpisce (*affectus*, colpito dalla realtà). La libertà si può introdurre come lama per separare i due poli. Allora, da una parte, si avrà la schizofrenia di chi pensa e basta, di gente per cui il puro pensare, il puro costruire col pensiero è valido; e, dall'altra parte, gente per cui l'istinto, ciò che sciocca immediatamente e istintivamente, è tutto: un *idealismo astratto* e teorico o un *empirismo istintivo*.

Sia pure a brandelli, ho tentato, prendendo lo spunto da questo vostro foglio, di dire perché questa società è in un momento di passaggio atroce. Un momento di passaggio in cui tutto è tentativamente fatto crollare: tutto è fatto crollare o nel nichilismo o nel puro *flatus vocis*, nel puro gioco di parole. Questa società è così perché ha trionfato l'impostura di fronte alla realtà. L'uomo ha tentato, da due o tre secoli, di essere lui la misura della realtà. Perciò la realtà è quello che vuole lui. Così abbiamo l'estrema conseguenza che la realtà è niente, perché l'uomo non è capace di inventare niente da capo. Proprio da capo, l'uomo non inventa nulla: riceve. Se misconosce questo ricevere, se si misconosce come donato, gratuitamente arricchito, gratuitamente dotato, se non riconosce questo, l'uomo si trova a pretendere, e gonfiandosi, gonfiandosi, come la rana di esopica memoria, a un certo punto si trova a scoppiare: si ingrossa, si ingrossa, fin quando scoppia. Il nichilismo è lo scoppiare dell'uomo che pretende di costruire tutto secondo se stesso.

La cultura dominante di oggi ha rinunciato alla ragione come conoscenza, come riconoscimento dell'evidenza con cui la realtà si propone nell'esperienza, cioè come positività. E ha rinunciato all'affezione alla realtà, all'amore alla realtà. Ha rinunciato all'amore, perché per riconoscere la realtà come emerge nell'esperienza occorre che lo shock che si prova sia accettato. L'uomo non accetta la realtà come appare, e vuole inventarla come vuole lui, vuole definirla come vuole lui, vuole darle il volto che vuole.

Per «riprendere», dunque, abbiamo la strada definita (questa strada che i nostri amici di Bologna ci dimostrano di avere così bene imparato): accusare *l'esistenza come bisogno* di costruire e, perciò, bisogno di un destino, di uno scopo – costruire vuol dire collaborare a realizzare uno scopo, collaborare a svolgere e ad adempiere un disegno –; la *razionalità*, ragione amata, veramente guida dell'uomo, luce dell'esperienza; l'*affezione* come cuore dell'uomo, fuoco e calore dell'esperienza; e la *libertà*, che nella sua possibilità di scelta non diventi lama, coltello che taglia in mezzo la proporzione originalmente misteriosa e fattivamente costruttiva e affascinante della conoscenza e dell'affetto, ma sia l'abbraccio dell'esperienza nella totalità dei suoi fattori, senza nulla perdere di quello che c'è, di quello che emerge ai nostri occhi e di quello che tocca il nostro cuore. La «ripresa» è data dall'avere i piedi nostri ben collocati sul terreno della *natura*, come nell'esperienza appare, come nell'esperienza si pone, come nell'esperienza scandagliata nei suoi fattori originali s'impone.

Ma come mai corbellerie o idee così strane, sogni così strani come quelli citati possono diventare saggezza comune da determinare tutta la cultura che riempie giornali, televisioni, libri? Come mai? È così perché gli inventori di essa hanno avuto il sostegno del potere; il potere ha reso contenuto dell'educazione della gente «quel» contenuto. Così, a poco a poco, in cento, duecento, trecenti anni, la mentalità comune ha assimilato la malizia e il veleno che avevano iniziato le varie posizioni di ribellione all'ovvio e al patente, al vero, all'affezione amorosa al reale. Ciò è diventato mentalità comune perché è diventato contenuto dell'educazione comune. E come noi potremo, ribellandoci a questo in nome della natura nostra, cioè della nostra persona – perché la natura, in noi, si chiama «persona» –, come noi potremo portare il peso della responsabilità di spaccare questo mortale essere schiacciati, questa frana immensa del mondo che si decostruisce, sì che l'uomo non ritrova più se stesso? Come faremo noi a resistere, a «riprendere», pur sapendo che bisogna applicare la ragione, l'affezione, la libertà come abbraccio di tutti i fattori dell'esperienza, pur sapendo che la realtà emerge nell'esperienza, che dall'esperienza solo si può partire, e che all'esperienza tutto deve essere ricondotto e illuminato affezionatamente – verità, questa, resa sterminata dal punto di fuga che l'esperienza sempre ha dentro di sé, rimandando essa, di fatto, a qualcosa di oltre e di misterioso –? Solo la compagnia tra noi può sostenere non il rischio, ma il coraggio del singolo. Ma una compagnia che tutta quanta si esaurisca nel sostenere la ripresa del singolo non può essere trovata tra gli uomini; tra gli uomini *soli*. Occorre la presenza di qualcosa d'Altro, *la presenza di un Altro*, la presenza di un uomo che è più che uomo: Dio venuto in questo mondo, diventato uno fra noi per coagulare questa solidarietà che rafforzi e renda capaci di riprendere continuamente la via al vero e al bene attraverso una fatica comune. La compagnia e Gesù, la compagnia umana con la realtà di Gesù dentro di essa: questo è ciò che ci dà la capacità di riprendere! La compagnia e Gesù ci fanno lavorare sul terreno solido della realtà così come emerge nell'esperienza, salvando ragione, affezione e libertà. Questo è tutto.

Rispetto a quello che hai detto, vorrei riferire di una risposta che ho dato stamattina. Uno è intervenuto dicendo: «Per noi la realtà è buona, però tante volte osserviamo che la realtà ci viene contro, cioè che la realtà – come appunto diceva Leopardi – sembra non mantenere la promessa: è promettente, ma poi non mantiene la promessa che fa». E io ho risposto che la realtà è buona, ma è ferita.

Un altro intervento, poi, diceva: «Ci è stato riferito che don Giussani, in un'assemblea di responsabili, ha detto che la nostra origine, quello che ci tiene insieme, il fondamento storico della nostra esperienza è il Battesimo. Che cosa vuol dire questo?». Mi sembra che questa affermazione, alle nostre orecchie, sia un po' lontana, come quello che leggiamo nel terzo capitolo di Scuola di comunità a proposito dei Sacramenti, dei dogmi, del magistero... Ora, vorrei chiedere, che cosa vuol dire esistenzialmente questa affermazione circa il Battesimo?

Quello che hai riferito è vero: la natura appare, s'affaccia promettente, ma poi *delude* la sua promessa, *sempre*. Appare come attraente: uno vuol vivere! L'istinto alla sopravvivenza ha un aspetto animale, ma ha anche un aspetto umano. Per questo secondo aspetto, l'uomo vuol vivere! Altrimenti, se si dicesse: «La vita non mantiene la sua promessa», ci dovremmo ammazzare tutti. E invece, macché, nonostante questo, nonostante questa ipotesi, nessuno lo vuole, ed è soltanto una schizofrenia quella che può indurre a «ammazzarsi», a farsi ammazzare dalle proprie mani: uno è attaccato alla vita, è attaccato alla realtà, alla realtà vivente, è attaccato a se stesso. Tant'è vero che la somma regola in ogni rapporto è l'amore a se stessi. «Ama il prossimo tuo – dice il Vangelo – come te stesso».

Da una parte, dunque, è vero che l'esistente è il luogo dove la realtà emerge promettente secondo una promessa che non sarà mantenuta nella storia dell'esperienza. Dall'altra parte, se la realtà si palesa, emerge, viene a galla come promessa, come promettente, non puoi scegliere la conclusione: «Non mantiene la sua promessa», come la conclusione finale. Se il primo indizio è di attrattiva e di promessa, la promessa della vita, se il primo indizio è l'attrattiva, se il primo modo in cui la realtà ti si palesa è positivo, non puoi più abbandonarlo questo: «metodologicamente» non puoi abbandonarlo. E se l'esperienza ti farà vedere che la promessa non è mantenuta, vuol dire che sulla tua vita grava un grande *mistero*, che incombe ai bordi della tua esperienza ed è sotteso ad essa. Mistero, sì – inspiegabilità –; ma negare l'evidente originario per conseguenze che momentaneamente, temporalmente, in ogni tempo possono verificarsi, questo è sbagliato.

La vita appare come attraente, tant'è vero che uno è attaccato a se stesso (l'istinto di conservazione è il documento più irrefragabile di questo attaccamento a se stessi); e, nello stesso tempo, l'attrattiva che ci fa attaccare a noi stessi e alla vita non viene mantenuta: questo è mistero. L'uomo non sa come fare, non riesce a spiegarselo. «Non riesco a spiegarmelo»: questo è sano, è giusto, anzi, è talmente sano che chi non lo riconosce è un presuntuoso, un distratto. Ma, insisto, per il secondo colpo – il colpo della delusione – negare il primo – l'attrattiva che la natura come volto immediato ha – è un delitto, è una bugia, è la follia menzognera di chi dice: «Tutto è falsità», ma molto più seriamente è la follia menzognera del nichilista. La più bella poesia che si possa immaginare da questo punto di vista è quella di Montale, che trovate citata ne *Il senso religioso*. È l'intuizione improvvisa che le cose non si fanno da sé: promettono di essere alberi, case, colli, ma non si fanno da sé; questo colle non si fa da sé, questa casa non si fa da sé, quest'albero non si fa da sé: dunque sono un inganno! Quanto ciò è detto con serietà, di fronte alla boria altrui! Allora l'uomo che s'accorge di questo è come uno che si volta indietro e vede il nulla dietro di sé: «Il nulla alle mie spalle, il vuoto dietro di me, con terrore d'ubriaco. Poi, come s'uno schermo, s'accamperanno di gitto alberi case colli, per l'inganno consueto»; dopo d'aver scoperto che sono niente, si ripropongono illusoriamente sullo schermo del tuo occhio, sullo schermo della realtà. «Ma sarà troppo tardi; e io me ne andrò zitto tra gli uomini che non si voltano [che non capiscono queste cose], con il mio segreto». Ma anche tu, Montale, sbagli! Se le cose «sono» non possono essere spiegate col non-esserci; non puoi dire: «Il vuoto dietro di me, il nulla alle mie spalle», se queste cose «ci sono». Se la realtà «è», è un «è» che spiega! Noi non riusciamo a cogliere questo «è», proprio per la contraddizione in cui le cose incorrono nella loro storia: che si presenta come positiva, promettente, ma poi la promessa non è mai mantenuta così come a noi è dato di pensarla, immaginarla, desiderarla. Ma allora vuol dir che di fronte alla realtà l'uomo è di fronte a un mistero. E di fronte al mistero l'uomo si sente piccolo, umile, senza pretesa, senza presunzione. Non solo. Se uno s'arresta qui è perché ha un orgoglio che non lo fa piegare. Deve fare un altro passo: *grida!* Come, nel Vangelo di domenica scorsa, Bartimeo, il cieco che in mezzo alla folla gridava: «Signore Gesù, abbi pietà di me! Dammi la vista!». E tutta la gente a farlo tacere: «Taci, taci! Disturbi, disturbi!». Tutti a urlare «Disturbi, disturbi!», tutti che cercavano di farlo tacere, e lui gridava sempre di più. Questa è un'immagine ulteriore della nostra «ripresa», più perfetta, più completa. È un grido: la nostra ripresa è un grido a ciò che fa il sole e il cielo stellato e il mare, a ciò che fa la madre e il padre, a ciò che fa me, a ciò che fa il mio cuore; è un grido a quel mistero che fa tutte queste cose, che fa gli occhi che ho ammirato nella donna, e dà la gratitudine che ho provato per chi mi ha aiutato in un momento di necessità e che provo verso tutti coloro che, condividendo il mio bisogno, mi aiutano a camminare, mi insegnano, mi dicono, piangendo, quello che possono, indicandomi quello che non possono, e concludendo alla fine: «Non puoi eliminare, non puoi eludere la promessa della gioia. Non puoi eluderla, devi eludere te stesso per eludere la promessa della gioia e, comunque sia, la risposta alla tua obiezione è che è mistero». La questione è che la realtà è mistero, è misteriosa. L'uomo non può intuire, né tantomeno definire che cosa significhi questa *promessa originale* e sostanziale, propria della natura che si presenta ai miei occhi, che emerge nell'esperienza, e la *delusione del tempo*.

Finché, con la fronte piena di questi pensieri, amaro della vita, e nello stesso tempo col cuore che grida a chi fa tutte queste cose, a chi fa il mondo, a chi fa il mio cuore stesso pieno di questo grido e di questa amarezza, passando vicino ad un gruppo di gente, saranno settanta, ottanta, cento persone, tutte sedute, e uno tra di loro è in ginocchio e parla (parla in ginocchio per poterli vedere tutti), mentre passo sento quest'uomo dire: «Io sono la via, la resurrezione, la vita». Io sono colpito a morte! Chi è quell'uomo che può dir così? *C'è un uomo che possa dir così?* Tant'è vero che la domanda la traduco in un'altra: chi è quell'uomo che ha potuto dir così?! Nessuno! Nessun uomo ha mai potuto dir così, eccetto uno – perché al mistero è soltanto Dio che può rispondere. E allora uno, di quel centinaio di persone, dice: «Maestro, facci vedere questo Padre di cui tu parli, questo Padre che è all'origine di tutto, e ci basterà». «È tanto tempo che sei con me, Filippo, come mai non vedi? Chi vede me vede il Padre. Io e il Padre siamo una cosa sola». *Quell'uomo si pone come Dio.* E, infatti, è quell'uomo che dice, pochi minuti prima di andare a morire: «Vi ho dato tutto quel che vi ho dato, vi ho detto tutto quel che vi ho detto, affinché la mia gioia sia in voi e la vostra gioia sia piena». Ma la gioia è il riverbero della felicità, è il riverbero nel tempo della felicità che è nell'eterno, della felicità piena; la gioia è il riverbero nel tempo effimero, passeggero, di quello che è la felicità nell'eternità, della verità totalmente vissuta, partecipata, amata. Chi può promettere la gioia? Nessuno! Nessuna madre può promettere la gioia con coscienza al figlio, tant'è vero che nello sguardo di una madre intelligente al proprio figlio, piccolo o grande che sia, non può esserci che un'ultima sospensione, fra il terrore, l'amarezza e una speranza strana. Speranza in che? Speranza in quella fonte di tutte le cose che le ha dato il figlio, perché il figlio non l'ha fatto lei!

Insomma, è mistero il fatto che la realtà prometta e poi non mantenga, nel tempo. Ma non si può per questo cassare la sua originale natura di promessa, non si può! Allora, per gli uomini tutto è mistero, la realtà è mistero; e quello che di positivo può sopravvivere nell'uomo così infelicemente percosso è una *domanda*. Non un grido, ma una domanda; un grido come domanda, una domanda che sarebbe un grido se potesse aver voce per farsi grido. In qualche secondo di ostinato e grandioso dolore, può diventare grido anche la domanda, ma normalmente non può, non ne ha la forza, è come se le mancasse il respiro, il respiro per difendere certe parole, per difendere certe idee, per difendere certe attese. L'uomo domanda. L'uomo – diciamo l'altra parola più bella ancora – è un *mendicante*. Il mendicante non grida all'angolo della strada: «Datemi, datemi!». No! Col piede appoggiato al muro e le spalle ricurve tende la mano in silenzio, talvolta balbetta qualche parola, e basta. Questo è l'uomo di fronte al mistero. E chi potrebbe parlare di più?

Andando per la strada, un uomo pensoso e triste, eppur covandosi dentro, sentendo il fuoco del desiderio («la fame e la sete di verità»), passando vicino a un gruppo di persone, con in mezzo uno che stava parlando loro, sente costui dire: «Io sono la via, la verità, la vita». C'è *un uomo*, esistito duemila anni fa, che ha detto: «Io sono la via, la verità e la vita». Quest'uomo grida così *nella vostra vita*. Ieri – un certo numero di anni fa – non c'eravate, oggi ci siete. Mentre ci siete, quell'uomo grida: «Io sono la via, la verità, la vita». Come grida? Attraverso la tradizione del popolo cristiano e attraverso la misteriosità del pane che è Suo corpo, che dà vita alla vostra vita, che ridà vita alla vostra vita, che è come cibo della vostra vita. Cibo della vita, non cibo dello stomaco: cibo della vita. Così che tutti gli errori sono perdonati. Come vien detto nel dialogo fra l'abate e Mañara (l'avrò letto cento volte, a tutti, il *Miguel Mañara* di Milosz, che è stato il secondo libro che abbiamo letto quarant'anni fa, già i primi giorni di Gs), che continua a piangere per i propri delitti – che erano tanti –: «Non piangere, o mio ragazzo. Tu pensi a cose che non esistono più e che non sono mai esistite, figliolo»... «*Egli solo è*». Quanto più questa affermazione è vera, quanto più questa constatazione e questo riconoscimento sono veri, tanto più scaturisce un'intelligenza nuova della realtà, un'affezione umana nuova, che cambia l'amore alla donna, all'uomo, ai figli, agli amici, agli estranei, per cui non c'è più nessun nemico. Quest'uomo – «Egli solo è» – vi raggiunge, ha raggiunto la mia vita e raggiunge la vostra vita attraverso il messaggio della tradizione apostolica, della tradizione cristiana, della tradizione della Chiesa, attraverso i sacramenti della Chiesa. Tradizione e mistero sacramentale, che vivono, poveramente ma veritieramente, nei palpiti, negli accenni che una certa compagnia e una certa amicizia – che si stabilisce tra certi uomini – fa.

La tradizione, perciò, è il messaggio, l'annuncio di quell'uomo che quell'altro uomo, passando, ha visto in mezzo al gruppo, e che diceva: «Io sono la via, la verità, la vita»; è l'annuncio di quell'uomo che arriva fino a te attraverso me, attraverso noi, senza confusione, perché c'è uno strumento che mantiene puro il nostro messaggio: l'obbedienza alla Chiesa, la quale mantiene forte la nostra affezione, attraverso i sacramenti: Eucarestia, Confessione, Matrimonio, Ordine. Tutta la vita è investita dalla grazia di questa affezione nuova, che è da conoscere; amici miei, è da conoscere. Questa sì è una promessa che vi facciamo noi: se sarete fedeli a questa compagnia capirete e amerete questa modalità nuova di affrontare il mondo, capirete perché la natura promettente è spaccata da un controsenso di apparente negazione, quell'apparente negazione che ha ucciso sulla croce il Dio fatto uomo, Cristo. Per cui è un sacrificio, non una negazione, quello che vi è chiesto. E — come mi scriveva su un foglietto Carmen qualche settimana fa — «il sacrificio è abbracciare la distanza». Siamo ancora distanti dal nostro Destino? No, il nostro Destino è tra di noi, ma c'è una distanza, una specie di distanza che non ce lo fa ancora vedere bene, non ce lo fa ancora amare bene. Ma il tempo che passa (e questa è l'esperienza che conferma, l'esperienza più grande che ci sia) fa capire e sentire sempre di più.

Soprattutto in due interventi di questa mattina emergeva questa considerazione: nel permanere della positività, di un'esperienza positiva, a volte la coscienza del limite personale che sembra dominante, e il dolore, la paura, il timore, è come se gettassero un'ombra di scetticismo e di nichilismo, di quel nichilismo di cui parlavi prima...

Tu sei figlio del mondo: sei figlio di tua madre che è di carne, di tuo padre che è di carne, di tuo padre e di tua madre che sono generati all'interno di questa mentalità che domina questo mondo, e ne patiscono tutte le incoerenze, tutte le negazioni. Tu sei figlio loro, sei figlio del mondo. Di fronte alla pur intravista verità delle cose che ti si dicono, sei scoraggiato dall'evidenza delle tue incoerenze, dei tuoi tradimenti, dei tuoi «chissà! chissà». Ma c'è Uno, tra noi, Uno nella compagnia che tu vivi, come sarà nella compagnia che chi seguirà vivrà domani: «Sarò con voi tutti i giorni fino alla fine del mondo», c'è Uno tra noi, la cui realtà non può essere riconducibile totalmente alla nostra, anche se della nostra è fatto.

È fatto della nostra realtà, è un uomo, ma non solo dei fattori della nostra realtà è fatto. Essendo fatto come uno di noi, nato dalle viscere di una giovane donna di quindici anni, ha una dimensione che lo unisce alle stelle, non solo allo Zenit, ma all'infinito Zenit. Ti dice: «Don Pino, confida, io ho vinto il mondo; tu devi vincere il mondo». Ma umanamente riconosci che non sei capace: «Come faccio? Sto con te che mi dici: "Confida, io ho vinto il mondo"! Sto con Te. Se tutti Ti negassero, io sto con Te, se tutti Ti rinnegassero, so chi sei. L'ultima forma del mio grido l'hai già fatta dire Tu nella chiusura della Tua Bibbia: "Vieni, Signore". Ti dico: "Vieni, Signore". Ripetendolo anche mille volte al giorno verrà quel giorno in cui Tu dirai: "Eccomi", come diceva il Tuo apostolo prediletto, il grandioso san Paolo: "Di tutto io sarò capace insieme a Colui nel quale è la mia forza"».

Guardate al tempo che passa, guardate alla storia come srotola il suo volume, guardate il mondo: queste parole «stanno» e gli altri passano. Il nulla sembra rimanere, ma il nulla è nulla, non può competere con l'essere, l'essere che lo ha già vinto facendo me. Creando me, Dio ha già vinto il nulla, il nulla che ero, secondo quel sentimento espresso dal profeta Geremia: «Ti ho amato di un amore eterno, perciò ho avuto pietà di te e ti ho tratto dal nulla, avendo misericordia del tuo niente, del tuo nulla». «Ti ho amato di un amore eterno» – così come è costituita la realtà, così come è costituito il mistero infinito dell'essere, di Dio stesso –, «Ti ho amato di un amore eterno, immanente a me; per questo ti ho attratto a me [ecco la parola, sì], ti ho attirato a me avendo pietà del tuo niente».

Mi pare, don Pino, che tutte queste parole non siano parole, perché costituiscono l'inizio di un'emozione che cambia la vita, come quella di Andrea e Giovanni – come è narrato nel primo capitolo di san Giovanni – di cui abbiamo parlato decine di volte ormai: sono andati là, Lo hanno sentito parlare, non hanno proferito parola, sono andati a casa in silenzio; giunto a casa, Andrea non parla, e la moglie gli dice: «Ma cos'hai oggi? Sei diverso! Cosa ti è successo?». E quando lui, invece di risponderle, l'ha abbracciata, quella donna si è sentita abbracciata come mai si era sentita abbracciata in vita sua: era un altro uomo; poveraccio, era lui, ma un altro uomo. E così il capo della mafia di Gerico... passa la folla, Gesù è in mezzo e si ferma davanti a lui, che lo guardava con curiosità dall'albero su cui si era accovacciato; Gesù si ferma e gli dice: «Zaccheo, fa' in fretta, scendi perché vengo a casa tua». È venuto a casa nostra, amici miei, per questo non conosco quasi nessuno di voi, ma siete più che amici.

Voglio solo ringraziare don Giussani, perché la risposta che lui ci ha dato oggi pomeriggio è la risposta al fondo della questione, che è poi all'origine di tutte le altre questioni e, in questo senso, usiamo quanto ci è stato detto, riflettiamoci, ripetiamolo, ridomandiamolo, riproponiamolo a noi stessi e agli altri perché di questo fondo della questione non ce n'è mai abbastanza.

Soprattutto una cosa più semplice: *siate mendicanti* dell'Essere. L'uomo nasce come mendicanza della felicità, dell'amore, della giustizia – che sono altre parole per indicare l'Essere. Siate mendicanti: *pregate* ogni giorno!

Vi giuriamo che non passeranno anni così numerosi da scoraggiarvi, ma a suo tempo, nel giorno che Lui vorrà, luce sarà fatta nei vostri occhi e affezione sarà data al vostro cuore che non avreste mai immaginate. A settant'anni si può già dire così! E quando abbiamo letto la frase di quella nostra amica che, in malattia gravissima, ringraziava il movimento che le aveva fatto conoscere il volto buono dell'Essere: questa è la ripresa, questo è l'amore all'umanità, questo è l'amore al mondo, questo fa una società nuova. E anche un partito nuovo.

L'incontro con un Altro mi realizza

Dal dato delle cose e dell'esistenza sua l'uomo trae la conoscenza di sé e del suo destino.

La nota prima del fatto umano è questa: ch'esso nasce come incoercibile impeto a realizzare sé. Dalle più tumide istintività e dalla banalità delle comode espansioni fino alle più nobili urgenze delle coscienze e alle più alte avventure del pensiero, una «forza operosa ci affatica di moto in moto» (Foscolo), uno «spron quasi ci punge» (Leopardi) verso una attuazione del proprio originale seme. «Realizzare se stessi»: il programma è chiaro per tutti, anche se con tanto varie interpretazioni teoriche e pratiche.

C'è un fenomeno fondamentale che esprime questo impeto originale: la *brama*, il *desiderio*. Fenomeno fondamentale per ogni nostro gesto, che da esso viene acceso e lanciato nella trama della realtà. Così gratuito e inevitabile, il fenomeno del desiderio è, appena ci si scosti dalla originale simpatia con cui la natura ci lega a sé, una *promessa di adempimento*.

Anche la promessa è un fatto: e il desiderio documenta che la promessa è il fatto che sta alla origine di tutto l'avvenimento umano. La fiducia in questa promessa, in cui si esprime la nostra natura, fonda la simpatia inesorabile col proprio essere e la vita – rende possibile quindi l'attenzione a se stessi –, genera quel «senso di sé» che non è soltanto mera consapevolezza, ma qualcosa di più intenso, un amoroso riconoscimento di un destino carico di valore.

Le strane e tremende contraddizioni della vita

Ma se la vita inizia continuamente con la promessa del desiderio, il suo svolgimento è stranamente pieno di obiezioni a quella promessa. Il dolore e la morte riassumono queste contraddizioni della vita, strane e tremende. «Dura cosa è soffrire e non saperne il perché» dice Claudel nell'*Annuncio a Maria*. Di fronte allo svolgimento della vita, l'adempimento della fondamentale promessa, contenuta nel fenomeno del desiderio, appare *arduo, laborioso, difficile*. Se l'uomo, nonostante questo, rimane coerente all'insinuazione della originale promessa, coerente cioè con la sua natura di essere desiderante, allora esso resiste ad attendere quel compimento che avverrà, quella soddisfazione che accadrà nel futuro, sia pure enigmatico e duro; e tale attesa esigerà un atteggiamento di coraggio, una «virtus»; è l'atteggiamento della speranza.

Essa perciò emerge nell'animo umano come situazione coraggiosa di attesa di un bene futuro, arduo e difficile allo sguardo del presente.

I peccati contro la speranza

Ma la genialità dell'umano sembra consistere proprio nel cogliere l'impotenza come consiglio ultimo della esperienza. Per cui questa virtù della speranza è accanitamente combattuta da una *tristezza* (la *tristitia saeculi* di san Paolo) o da una *accidia* (la *acoedia* di cui parla san Tommaso), il risultato delle quali è una *mancanza di disponibilità* al senso positivo a cui natura ci introduce dall'origine.

Proprio da questa mancanza di disponibilità sorgono gli atteggiamenti contraddittori alla speranza, i peccati contro la speranza.

Il primo e più facile è dato dalla *evagatio mentis*. È la distrazione nel suo senso più solito, che coincide con quel ritirarsi in malinconica mediocrità dei più, lasciandosi impigliare dai sentimentuzzi risaputi o riassorbire continuamente dalle voci banali dell'ambiente; o che coincide con quella irrequietezza che caratterizza tanta gioventù d'oggi: instabilmente fragile e sperduta fra l'intrico delle subdole attrattive o delle comode insinuazioni. Si genera quella ottusità di vita, così profondamente radicata nella mentalità comune, che, là dove un maestro o un educatore cerchi di scuotere e richiamare la voce originale della natura, si trasforma tanto facilmente in stizza, in rancore verso la voce di richiamo.

Ma questa forma banale più comune non può evidentemente bloccare le persone evolute, colte, quelle che stabiliscono rapporti fra gli avvenimenti, quelle che usano la ragione, i maestri della nostra civiltà. Essi rieccheggiano spesso l'antica posizione stoica, ritirano fuori l'antica parola $\eta \, \alpha \eta \alpha \gamma \varkappa \eta$, la necessità, come supremo e ultimo senso delle azioni. L'ideale etico supremo non è tanto il compimento del desiderio commosso della speranza, quanto la imperturbabilità di fronte alla cosa, all'avvenimento. «Il saggio non piange e non ride» sentenziava Spinoza, esattamente il contrario di quanto affermava sant'Agostino: «Chi crede in Dio, piange e ride».

Quanto è diffusa tra i giovani più seri la tentazione di questo atteggiamento ideale così contrario all'essere, di questa orgogliosa disperazione della debolezza! Perché tale posizione stoica in fondo è la pretesa di commensurare il tutto con la propria energia, di saper misurare e affrontare il peso del tutto con la propria volontà. Ma a un certo punto di questo sforzo − così contrario all'intensità di desiderio con cui natura ci crea − l'uomo cede e l'individuo soggiace al grande fatto della realtà che non può sopportare: i grandi stoici antichi si sono suicidati.

Questa posizione è più dei giovani che degli adulti, nella nostra cultura. Quando diventano adulti cambiano i termini e si rendono sicuri su altre posizioni.

L'ideale a cui l'uomo è chiamato − dicono − è la manipolazione precisa e concreta delle cose che lo circondano. Questo esaurisce il senso della vita umana, e a questo si deve ridurre l'uomo veramente razionale. Altre aspirazioni sarebbero vaneggiamenti da togliere con una buona educazione, «senza voli in impossibili iperurani, ché l'uomo è centro e signore del mondo, ma a condizione di dare corpo e consistenza a questo libero signoreggiare», come dice Garin.

È la perdita del senso dell'impotenza, è la presunzione che limita le dimensioni dell'uomo nel tentativo di affermarsi accanitamente. Verrebbe voglia di citare Shakespeare: «Ci sono più cose in cielo e in terra, Orazio, che non nella tua filosofia».

Questa posizione, propria di tanta mentalità positivista moderna, in fondo nega quella brama originale, quella aspirazione indistruttibile alla felicità personale, e vi sostituisce l'ideale del progresso collettivo cui ognuno collaborerebbe esaurendovi totalmente esistenza e significato.

Nulla v'è di più contraddittorio con la realtà umana: perché il problema del senso della vita è problema del singolo, e al singolo uomo deve dare adeguata risposta. San Tommaso nel *De potentia*

Dei riportava l'obiezione che «il movimento proprio di una natura che viene dal niente è tendere ancora al niente». Ma rispondeva: «La tendenza al nulla non è il movimento proprio dell'essere naturale, che si dirige sempre a qualche cosa di buono, ma la tendenza al nulla si effettua precisamente col rifiuto di quel movimento proprio».

Con questa arida forma di rinnegazione l'uomo giunge al fondo della contraddizione di sé, del «peccato». E tutti i tempi hanno trovato maestri che l'hanno favorito. Ma il nostro tempo sembra non conoscere altri maestri.

L'ampiezza dell'umano destino

Un avvenimento, un fatto nuovo cambia profondamente i termini del problema. Dio si è inserito personalmente in questa drammatica situazione dell'uomo: si è inserito attraverso Cristo.

Innanzi tutto Cristo rivela l'ampiezza insospettata dell'umano destino. C'è una misura della nostra impotenza, c'è una insoddisfazione del nostro male, che non sono naturali: il significato dell'esistenza non sta nella evoluzione della terra o nell'affermarsi progressivo delle umane capacità. Il significato della esistenza, rivela Cristo, sta nel destino di un rapporto personale e soprannaturale con Dio: «Questa è la vita eterna, che conoscano te, l'unico vero Dio, e colui che hai mandato, Gesù Cristo» (*Gv* 17, 3). Cristo è così l'incontro esaltante dove l'uomo si scopre improvvisamente in tutta la dimensione della sua possibilità; Cristo è il vero e unico Maestro. *Unus est Magister vester, omnes vos fratres estis* (*Mt* 23, 10).

In secondo luogo Cristo ci offre in se stesso la possibilità concreta di raggiungere quell'imprevedibile e misterioso destino. Questo è infatti il suo annuncio: quella impotenza nella tua esperienza, quella contraddizione della tua esistenza non ti spingano a trovare aiuto altrove o a rinnegare il desiderio profondo che costituisce la vita della tua coscienza; quella impotenza e quella contraddizione saranno risolte, esse sono già risolte in Me. E Io divento il tuo cammino, Io sono il pegno della soluzione, così come la strada ad essa.

Gratia Dei: la realizzazione dell'uomo è dono, dono ancora molto più grande che non l'origine imprevista e imprevedibile dell'uomo stesso.

La nostra risposta al dono dello Spirito

La speranza cristiana è la risposta della nostra anima alla nuova promessa di Dio che è Cristo. Essa ha un oggetto preciso: Dio stesso, come storicamente si fa desiderare dall'uomo come suo fine sovrumano. Essa ha preciso il suo motivo: perché a Dio ogni cosa è possibile, *quia non erit impossibile apud Deum omne verbum* (*Lc* 1, 37). La speranza cristiana si fida della sua parola: *scio cui credidi* (*Gv* 8, 14).

Questa speranza penetra nella nostra anima con la stessa profondità, con la stessa incrollabilità con cui penetra nella mia vita il dono di quella proposta. La speranza cristiana assume e supera da tutte le parti la speranza naturale. Essa non è più una attività promanante da me, una semplicità di adesione alla mia origine da me stesso ottenuta; non è più una mia iniziativa di cammino verso l'infinito, non più uno slancio fiero e forte di me stesso per evadere dal mio limite presente. Questa speranza mi viene incontro da fuori di me, me la trovo all'esterno e mi penetra dentro, mi riecheggia all'orecchio, anche se mi colpisce il cuore, mi condiziona di fuori e mi libera dentro.

Ma allora come a noi personalmente giunse e giunge questa soprannaturale promessa che è in Cristo?

Per ognuno di noi la proposta di Cristo avviene in quell'ambito, in quello spazio e in quel tempo, in quella comunità di uomini che si chiama Chiesa.

L'uomo si trova a sperare in quanto partecipa al mistero di questo Corpo Mistico di Cristo; in quanto vi aderisce, esso esperimenta una attrattiva nuova di speranza, una aspirazione profonda che sa tradursi in parole precise, in dialogo preciso. «Lo Spirito grida dentro di noi con gemiti inenarrabili»: partecipando alla Chiesa, l'uomo partecipa allo Spirito stesso di Cristo e vi fonda la certezza della sua speranza.

E proprio perché si fonda sull'unico Spirito di Cristo, tale speranza, personale e profonda, coincide con la speranza stessa che anima il Corpo Mistico di Cristo verso la sua comunitaria pienezza, cui parteciperà tutto lo stesso universo, *ut sit Deus omnia in omnibus* (1 *Cor*, 15, 28). La speranza della mia realizzazione coincide con la speranza della vittoria di Cristo. È speranza mia e nostra nello stesso tempo; non sarebbe mia se non fosse nostra. Se per un aspetto non coincidesse, non sarebbe speranza cristiana, perché il motivo di questa speranza è Cristo come attore del grande disegno del Padre.

Nella liturgia il fatto di Cristo, la sua realtà presente – cioè la comunità della Chiesa – ci riecheggia l'annuncio della speranza, ce la fa rinascere dentro, ci alimenta di essa, la rende fondamentale esperienza per la nostra vita. *Da vigorem cordibus nostris.*

Ci sono due precisi fattori di esperienza che prova chiunque partecipi alla comunità della Chiesa, vivendone la liturgia: la *sicurezza* e la *operosità.*

Una sicurezza profondamente umile, perché il suo fondamento non è in me, ma in Uno da cui tutto è fattibile. *In spem contra spem. Spes autem non confundit* (*Rm* 4, 18; 5, 5).

Un'operosità che non si riduce a determinati tempi e non si identifica soltanto con determinate intraprese, ma che investe ogni momento e redime nell'utilità di un nobile compito ogni più breve misura di gesto. Un'operosità che realizza il sublime nell'apparente banalità della vita più meschina. Il sublime non può essere quotidiano, così come il vino e l'acqua? In questa terra non si appartiene a Cristo se non nella speranza. Perciò è nell'educazione alla speranza che si penetra l'esperienza della redenzione.

La forza morale per riconoscere una presenza

Vorrei elencare velocemente le conseguenze più visibili e constatabili della mancanza totale di educazione alla forza morale che occorre per riconoscere una presenza, la grande presenza, la presenza del destino di tutte le cose, che è diventato Uno tra noi. Senza riconoscere questa Presenza non riconosco veramente la presenza di niente. Non è più serio niente; e infatti tutto tende a diventare puro pretesto per la propria immaginazione, reattività, pura reattività a livello di pensiero o opinione e pura reattività a livello di azione o istintività. Tutto diventa puro spunto all'opinabile e all'istintivo, vale a dire ancora una volta all'effimero. Vorrei elencare cinque conseguenze che vorrebbero contribuire a descrivere la posizione cui siete tutti proclivi, inclini, perché siete figli del vostro tempo. Le conseguenze dunque del fatto che non spalanchiamo la via a Lui.

1. *La mancanza totale di un'educazione alla responsabilità.* Responsabilità vuol dire «risposta», rispondere. Per rispondere occorre una presenza, che ci provochi, che chiami. Invece oggi non si risponde più a nessuno, a nulla. Oramai questo può accadere, nella maggior parte delle volte, perfino nel lavoro nel senso materiale: se prima occorreva una settimana adesso occorre un mese, e dove occorreva una persona adesso ne occorrono dieci, nonostante l'invenzione delle macchine.

Ma la cosa è più generale: voi a chi avete risposto alzandovi stamattina? A nessuno. Quando il povero don Gnocchi, tornato dalla Russia, all'Istituto Gonzaga ad alcuni amici raccontava un po' della sua atroce esperienza, una sera disse che gli era venuta in mente un'idea che sarebbe stata poi l'opera dei mutilatini. E gli era venuta in mente entrando in un ospedaletto, dove erano raccolti dei bambini che erano stati straziati dalle granate, e ce n'era uno, il più grande di tutti, sul quale i dottori erano intervenuti sette o otto volte. Era una maschera di dolore e lui, curvandosi su quel lettuccio, non sapeva cosa dire; a un certo punto gli venne in mente questa domanda: «Ma quando ti fanno male tu a che pensi?». E quello, per un istante, quasi dimenticandosi il suo dolore per la stranezza della domanda, rispose: «A nessuno».

Noi ci alziamo alla mattina così. Non rispondiamo a nessuno, a nessuno. Perché adesso l'orazione del mattino non si dice più, oppure si dicono le lodi, che, essendo una formula della comunità, possono non essere un gesto mio.

Non si risponde così più di niente a nessuno. Ho trovato una poesia di Pasolini che mi ha richiamato questo. Guardate che non rispondere più a nessuno è la formula della solitudine. Perché resta una falsa soddisfazione, che è cutanea, la soddisfazione della reattività, della reazione; uno mette su i vestiti, ha freddo, si riscalda, si lava, mangia: questo soddisfa la cute, la pelle, ma la solitudine ghermisce sempre di più il cuore e la puzza della solitudine si chiama noia. È la noia di dover uscire di casa, è l'assenza totale di intelligenza, di cuore nello sguardo alla giornata, salvo naturalmente i giorni eccezionali, effimeri. Ecco la poesia:

«Sento come sono, ricordo come fui, visto dallo sguardo improvviso di Lui [il destino]. Anche all'uomo più ingenuo nel petto ferito il sangue s'annera, anche all'uomo più mite nello stupito occhio si annera il dolore. Più fu un tempo tenero, più s'indolisce il cuore e conosce i cieli, le indifferenze, i muti e scorati disgusti di chi ormai si rifiuti a vibrare ancora e sotto essi, cieli, la sperduta violenza dei suoi affetti veri».

La sperduta violenza degli affetti veri: l'impeto dell'origine che ci costituisce, la fame e la sete di destino. Senza destino tutto si svuota, si corrompe, si rifiuta, tutto rifiuta se stesso, s'annerisce, s'indurisce, non vive. Senza la Presenza non ci sono più presenze vere, reali, serie; ogni cosa diviene spunto per un'opinione e per un'istintività, ogni cosa diventa effimera. Manca un'educazione alla responsabilità, non si risponde più a nessuno di ciò che si fa. Del tuo rapporto con la ragazza a chi rispondi? E del tuo tempo a chi rispondi? E del tuo studio a chi rispondi?

2. Una seconda conseguenza che descrive l'atteggiamento del giovane di oggi, e anche del non più giovane, è *l'assenza di pensiero*. Pensare è coscienza vibrante, dinamica della realtà: perché

il pensiero è coscienza del reale. Il pensiero è coscienza di una presenza a tutti i livelli, fino a quella originale, costitutiva: la grande presenza, che i filosofi chiamano Essere, ma a cui noi diamo il nome proprio: Dio. Il pensiero è coscienza di una presenza, altrimenti è arzigogolo o fantasia, ed è tanto più pensiero quanto più è cosciente della totalità della presenza. Per questo l'uomo pensa, perché fa i nessi totali, mentre il bambino no. Se pensiero è coscienza della presenza, se non si ha il coraggio morale di vivere, di riconoscere la presenza, il pensiero svanisce, si svuota. La gente è incapace ormai di logica, incapace della più elementare logica. Ma più evidentemente è incapace di pensare e questa è la difficoltà di oggi, poiché le parole che usiamo hanno smarrito il loro significato.

Per me le parole, per l'educazione avuta, sono come ferri tra le mani, sono dense come il ferro, e l'amore alla loro storia o etimologia esprime tale percezione di densità e la esalta. Mentre, normalmente le parole sono smarrite di significato, sguarnite di capacità di mettersi insieme a comporre un discorso per la mancanza di capacità logica. Ora questa mancanza di capacità di pensare rende assenti da tutto, perché è la capacità di pensare che collega, che unisce, che penetra, che apre una prospettiva. Si è assenti dalla vita. Le emozioni, le commozioni sono superficiali e brevi, salvo quando l'assenza raggiunge il cuore e lo spacca, nella disperazione.

3. Siamo *extra*, tutti *extra*. Come gente in mezzo al deserto, pigiati nei cortei del 1° maggio. Senza un prima, senza una storia, senza padre e madre, soli, come se la vita nascesse informe, senza forma, e perciò nell'istante siamo inquieti e instabili.

L'instabilità è la cosa più terribile, è la caratteristica più terribile dei giovani di oggi: irrequieti e instabili. L'instabilità significa assenza di connessioni, di nessi: senza passato, senza storia, senza compagnia.

Sentite come lo dice bene questa lettera, che ho ricevuto da una ragazza: «Sono ubriaca di risate e di parole, di gesti inventati, costruiti per non tacere, per riempire col rumore questo terribile silenzio. Sensazioni nuove eppure stanche come i miei occhi, nuovi volti mascherati, nuovi giorni, ma il risveglio è sempre uguale. Da tempo ho lasciato tutto al caso, a pochi momenti; da quanto non assaporo la dolcezza, la bellezza, la fedeltà, l'incoscienza, il desiderio e l'incoerenza di un per sempre! Da quanto non tendo le mie mani vuote, non chiedo! E ogni soffio di vento mi porta via, lontano da decisioni che durino più di un respiro ["Il vostro amore è come la breve nube del mattino" diceva Isaia]. Quanta impazienza e quanta fretta in questo vivere, in questo lasciarsi passare il tempo senza afferrarne neppure un momento, da trattenere per avere l'illusione che sia stato riempito. Mi è rimasta la cenere dei giorni che sono passati e non ho il coraggio di niente [occorre un coraggio morale per riconoscere la presenza]. Non so amare, non avrei mai il coraggio di mettere al mondo un figlio, di rischiare la vita per qualcosa, ma vigliacchi così si diventa. Vorrei fuggire mille volte al giorno. Non so da che parte guardare senza che gli occhi si riempiano di lacrime, lacrime di vuoto. Come quando il vento colpisce gli occhi e li fa piangere. Fuori della realtà, dentro l'assurdo, per sfuggire il dolore, il silenzio, la morte e negli stessi minuti gesti, nelle stesse inutili parole vivere l'amarezza del non senso, l'incoscienza dei miei istinti e nascondermi dietro una maschera penosa e ridicola per non sentirLo chiamare, per non sentirLo gridare forte il mio nome. Fino a quando questo vagabondare senza sosta? Smarrita come un animale braccato, inseguita da volti, da voci, da verità che chiedono di lottare contro i mulini a vento di questa società».

4. Un quarto tratto della figura del giovane di oggi, dell'uomo creato oggi: fare del bene come riflesso di un proprio sentimento, vale a dire come frutto di una pura reattività, non di un giudizio, non della scoperta di un nesso con la totalità, non come scoperta di un bene. Si fa il bene come riflesso, riverbero di un proprio sentimento: la sentimentalità, il sentimentalismo di oggi.

Perciò il bene che si fa resta alla mercè del proprio sentimento, il quale, se cambia domani, se ne va tutto, compreso il bene che si vuole all'uomo e alla donna.

Per questo si è pieni di smarrimento, perché anche il bene che si fa come riflesso di un proprio sentire non s'àncora a niente, non ha prospettiva, non ha futuro. Ciò significa che è come un gioco, perché tra il gioco e la serietà, questa è la differenza: che il gioco non ha futuro.

Si ricerca un bene che non è oggetto dell'intelligenza e della ragione e quindi del cuore, ma coincide con la propria reattività.

Questo è il sentimentalismo. Il bambino come agisce? Per reazione, perché è un bambino. La sentimentalità, il sentimentalismo come criterio e legge del proprio comportamento è il giudizio sull'uomo, è un giudizio che condanna l'uomo come se fosse un bambino: è l'infantilismo, è il trionfo dell'infantilismo. Il sentimentalismo lo si riconosce da questo: invece di concepire la propria azione (vale a dire il proprio rapporto con una presenza, perché l'azione è sempre il rapporto con una presenza), di sorprendere stupiti la propria azione come funzione di un tutto, come parte di un tutto, come ordinata a un tutto, come servizio a un tutto, come partecipazione a un tutto, invece che guardare alla propria azione come funzione di una totalità, e perciò costruttiva, edificante, si vede la totalità come un addensarsi di cose e di occasioni, come un mucchio di cose e di occasioni, come un grande mucchio in funzione di quello che pare e piace, cioè del proprio istante, o del proprio progetto. Ma quando un progetto è il *mio* progetto, diventa come un fuscello nell'universo, è niente. Il mio progetto, invece, è la modalità con cui io mi concepisco in funzione, a servizio della totalità e nell'amore ad essa; e la risposta al destino è la *mia* risposta al destino, e allora si chiama più profondamente vocazione. Perché è il destino che mi chiama, come dicevano sia Pasolini sia quella ragazza: «Per non sentirlo gridare forte il mio nome».

5. Ultima caratteristica: la dico con la frase di un fisiologo e psicologo francese: *La falsa personalità si riduce all'ipertrofia dell'istinto di difesa*. La falsa personalità si riduce all'ipertrofia, cioè a far diventar grande l'istinto di difesa. *La vera personalità, invece, si basa sull'istinto di simpatia*. Perché se il criterio dell'agire è ciò che mi pare e piace, vale a dire, se io non ho, non gioco l'energia morale per riconoscere il destino, da cui tutto trae consistenza e di cui tutto è funzione, se la realtà è un gran mucchio di cose che io cerco furtivamente e violentemente di funzionalizzare al mio progetto, allora io sono tutto in difesa, contro ciò che può attaccare il mio progetto, e che può non corrispondere alla mia opinione e al mio piacere: così sono in difesa di fronte a tutto. E quando una persona o una situazione favoriscono la mia opinione e il mio piacere, io le uso subito come strumento, perché non sono con loro in quel rapporto di sguardo aperto, colmo di stupore, di attenzione e di proposta, che si instaura quando io dico «tu» pieno di rispetto, di attesa e di amore. L'altro diviene strumento della mia opinione

perché serve a sostenerla oppure perché può essere usato in funzione del mio piacere o del mio tornaconto. Perciò l'assenza del destino, il non riconoscere la grande presenza nella vita mi rende totalmente personaggio in difesa, vale a dire una personalità svuotata, una personalità misera, immiserita, che ha soltanto la forza della pura reattività, è incapace di governarsi e di dominarsi, incapace di attendere, incapace di amare un futuro che si costruisca nel presente, che non viva solo nell'immaginazione, un futuro che sia ideale, non sogno.

Mentre se io sono spalancato all'Essere – a questo Mistero che vibra dentro questi oggetti e queste facce, sull'orizzonte ultimo di queste facce e di questi oggetti e del mondo intero, e che non vedo perché è al di là, incombente sull'orizzonte che tutti voi abbraccia, ma dal di là di esso –, io sono spalancato a tutte le cose che una dopo l'altra mi vengono davanti agli occhi, io resto spalancato a tutto ciò che mi passa davanti, che mi viene davanti.

Tutto questo è un *atteggiamento*. E l'atteggiamento di fronte alla madre, alla ragazza, al libro, al fiore del campo, alle stelle, alle notizie del giornale, è ultimamente deciso dalla posizione di fronte al Destino. Il nostro atteggiamento verso la donna, l'uomo, il lavoro, la società, il cosmo non è nient'altro che corollario, conseguenza dell'atteggiamento che abbiamo verso il Destino. Se non abbiamo il coraggio di riconoscere quella Presenza, non abbiamo l'energia morale per riconoscere con serietà nostra madre e tutto il resto.

La vera personalità si basa sull'istinto di *simpatia*. Ed è proprio questa apertura alla presenza, ignota eppure incombente ed evidente, ultima, da cui tutto si origina, che mi dà apertura dinamica, cioè simpatia, apertura a tutto. «Tutto è vostro», diceva san Paolo ai primi cristiani, «tutto è vostro, se voi siete di Cristo».

In una canzone che cantate spesso, si dice: «Io dico sempre: non voglio capire, ma è come un vizio sottile e più penso, più mi ritrovo questo vuoto immenso e ho per rimedio soltanto il dormire. E poi ogni giorno mi torno a svegliare e resto incredulo, non vorrei alzarmi, ma vivo ancora e son lì ad aspettarmi le mie domande, il mio niente, il mio male». Se Guccini è famoso, è famoso per qualcosa: è una conferma così impressionante, in negativo, di quello che un uomo è, con le sue inevitabili domande. È un fiotto originale che ci costituisce, è un Altro ci ha costituiti così, perciò siamo tutti così.

Anche Field dice in questo brano che ho trovato un po' di tempo fa: «Desiderio, ti ho trascinato per le strade, ti ho desolato nei campi, ti ho ubriacato nelle città, ti ho ubriacato senza dissetarti, ti ho bagnato nelle notti piene di luna, ti ho portato in giro dovunque, ti ho cullato sulle onde, ho voluto addormentarti sui flutti, desiderio, desiderio che vuoi dunque? Quanto ti stancherai?». Mai. Perché è costitutivo. Andate a leggere, quando potete, il capitolo 38 di Isaia, vv. 9-20, il canto di Ezechia è come se riassumesse il grido di attesa positiva.

Come è strano, difficile, faticoso riprendere coscienza di noi stessi, della vita, del vero; riaccorgerci di verità per cui la vita sussiste, si muove. Ma occorre *volerla* questa fatica perché possiamo riprendere contatto con verità che sono luce.

Per riconoscere una presenza *occorre forza morale, volontà. Perché per una specie di masochismo* o mania di autodistruzione *l'uomo resiste alla presenza*, tanto è vero che la modalità normale con cui si accosta a ciò che gli pone davanti la vita — persone e cose — è un possesso strumentalizzante che è proprio l'abolizione della presenza.

Occorre forza morale per superare questa resistenza strana, eccentrica, pazza, autodistruttrice che c'è nell'uomo. E poi occorre energia morale *perché tutto ciò che ci circonda rabbiosamente odia la presenza.*

Parte seconda

Sui giovani

Risposte cristiane ai problemi dei giovani

I. Vita e problemi

1. *Nemo carnem suam odit*: nessuno vuole male a se stesso. Nonostante le sofferenze, le incertezze e le delusioni che costituiscono gran parte della sua trama, una radicale *simpatia* ci collega alla vita.

Questo impeto di simpatia è soprattutto cordiale nella giovinezza. Il fascino del bello, del vivace, del forte – in cui si comunica il positivo della vita – è offerto e sentito soprattutto nella giovinezza. *Giovinezza* e *vita* sono quasi sinonimi. Nessuno ha tanto diritto e tanto dovere di comprendere e valorizzare la vita quanto il giovane.

2. Quando vediamo un corpo – d'uomo o d'animale – sdraiato sull'erba, immobile, noi pensiamo: «dorme». Ma se ci accostassimo e, dopo aver ben osservato, non notassimo alcun palpito, non potessimo constatare nemmeno la presenza di un respiro lieve, noi impauriti penseremmo: «È morto, non dà nessun segno di vita!». Qual è il segno della vita? *Il movimento*. Grandioso e vertiginoso come nelle grandi città, o sottile quasi impercettibile come il respirare tranquillo di un bambino che dorme, il moto indica la presenza di vita e lo esprime nelle sue gradazioni infinite. Così la nostra vita è tutta nel movimento di ogni giorno. Anche nel sonno qualcosa si muove, ma nel sonno la vita è ridotta ai minimi termini, e gli antichi dicevano per questo che il sonno è somigliantissimo alla morte: *Somnus simillimus est morti*. Si suol anche dire che la vita ricomincia al mattino: proprio perché al mattino riprende molto più completamente il movimento di tutto il nostro essere.

3. Il movimento della vita ha come caratteristica di essere come un seme che *si sviluppa*. Sviluppandosi esso prende naturalmente sempre più contatto con l'ambiente, col «mondo» in cui è immerso.

In questo sviluppo e successivo contatto coll'ambiente, la nostra vita subisce, per così dire, tutta una serie di reazioni. La scoperta che ognuno di noi fa, *la conoscenza che ognuno di noi prende di queste reazioni costituisce l'insorgere dei cosiddetti problemi.* Come dice l'origine greca della parola, ognuno di noi si trova davanti alla realtà, ostacolo da superare o valore da assimilare.

4. Se il problema è la conoscenza della reazione che il nostro essere subisce nel movimento in sviluppo della vita, vita da uomo è proprio sentire i problemi. *Quanto più uno vive, tanto più uno sente i problemi.*

La giovinezza è più viva proprio perché è la scoperta prima, è la prima conoscenza di questi problemi; e la prima conoscenza è più partecipata, più seria, che non dopo. Troppe volte l'uomo maturo non fa più caso, non è più sensibile («ha fatto il callo», si dice) ai problemi più acuti della vita. Il vecchio spesso è sordo ad essi.

La giovinezza dura nella proporzione in cui si sentono i problemi seriamente, con forza e con prospettiva positiva, perché le pregiudiziali negative tendono a sminuire all'animo l'attenzione.

5. Tutti i problemi umani si possono racchiudere in quattro fondamentali.

a) Innanzitutto le cose, con cui l'uomo in sviluppo viene a contatto, parlano, rivelano. L'ambiente risveglia nell'uomo il bisogno di sapere. L'uomo è tutto teso a conoscere (curiosità, impressione, ricerca), subendo in tal senso un'attrattiva così forte da far nascere quasi una religione (come fu ad esempio per Einstein).

Si delinea così il *problema del sapere e dello studio.*

b) Le cose non solo parlano, ma sono a disposizione dell'uomo, pronte ad essere valorizzate. E l'uomo quanto più conosce, tanto più s'accorge di questo.

Le cose stanno di fronte all'uomo come semi che il coltivatore – l'uomo stesso – deve aiutare a svolgersi, perché manifestino tutte le possibilità che racchiudono.

Così le cose sono mezzo di sviluppo dell'intraprendenza umana, sono richiamo al *lavoro.*

Ecco il secondo problema fondamentale.

c) Ma c'è una categoria particolarissima di creature, definite col nostro stesso nome: gli uomini. Evidentemente non si può trattare una persona come si tratta una cosa. La cosa io la prendo per la mia utilità, la sfrutto. Ma una persona, un essere cioè che ha lo spirito, come tale non può essere sottomesso direttamente che a Dio, non può quindi essere sottometto alla utilità di un altro. Se qualcuno si avvicina per «sfruttarci» secondo la sua utilità, noi lo sentiamo con ripugnanza, con antipatia, con ribellione: noi lo qualifichiamo col titolo più anti-umano che ci sia, col titolo cioè di «egoista». Allora colle persone cosa bisogna fare? Ecco: le cose si prendono, alle persone ci si dona. Cioè, in conclusione, le cose si usano, le persone si amano.

Sorge così il terzo grande problema: *il problema dell'amore*. In esso sta il particolare problema uomo-donna, cui Dio ha affidato il compito della trasmissione e della educazione della vita – il problema della famiglia.

d) Il vivere degli uomini si configura per natura nell'organismo che è la società, in cui il moltiplicarsi, l'allargarsi, l'articolarsi delle attività di studio, amore e famiglia dei singoli uomini crea i grandi fenomeni della cultura, della ricerca scientifica, del progresso tecnico, dell'organizzazione sociale.

È il problema della convivenza, della *comunità sociale*.

6. Caratteristica dei problemi è quella di destare «*interesse*». Anzi, l'interesse, in genere, della vita è tanto più forte quanto più si sentono i problemi.

L'interesse che i vari problemi destano è di varia natura:
preoccupazione all'insorgere del problema, carica di speranza o piena di paura;
fatica, durante lo sforzo per risolvere il problema;
soddisfazione, a soluzione avvenuta.

Ma soprattutto un fenomeno sottende l'arco vibrante della vita umana – un fenomeno, soprattutto, è l'anima comune d'ogni interesse umano – un fenomeno è la molla d'ogni problema: è il fenomeno del desiderio.

Il desiderio che ci spinge alla soluzione dei problemi – il desiderio, che è l'espressione della nostra vita di uomini, in ultima analisi incarna quella attrattiva profonda con cui Dio ci chiama a sé.

Cristo e la vita umana

Qual è l'atteggiamento che Gesù ha avuto verso questa vita umana? L'ha Egli misconosciuta, rinnegata, o l'ha compresa, accettata, affermata in tutta la sua ampiezza, con tutti i suoi problemi?

1. Ricordiamo innanzitutto quella descrizione del Padre, che Egli ci dà in *Gv* 5, 17: *Pater meus usque modo operatur* – che si può tradurre: «Il Padre mio è l'eterno operatore» – dandoci la visione della vita divina come di un immenso movimento ineffabile.

2. Egli rivolge lo sguardo al grande scenario della vita dell'uomo, che è la natura, e l'osserva con quella vivezza e precisione che sono l'anima dell'arte e della scienza: il sole e la pioggia (*Mt* 5, 45), i fiori del campo (*Mt* 6, 30), i corvi (*Lc* 12, 24), i passeri (*Mt* 10, 29).

3. Ma è con tutto il cuore che Egli si apre all'uomo sulla sua vita:

con attenzione acuta e calda, e osserva i fanciulli nella strada, sente la gioia e il dolore della giovane madre;

con amore schietto, «Ed Egli prese un bambino, lo pose in mezzo ad essi, e se lo strinse in grembo» (*Mc* 9, 36);

con amore totale e deciso, e riunirà tutta la sua legge in un solo comandamento: «Tutto ciò che voi volete facciano a voi gli uomini, anche voi fatelo a loro. Questa è la legge e i profeti» (*Mt* 7, 12).

4. Preoccupazione e desiderio, fatica e dolore, gioia di ogni giorno, Egli sa, tutto sottolinea, tutto abbraccia nell'uomo.

Indica la pace dalle preoccupazioni nell'abbandono al Padre, dal quale «ogni capello» è contato – dal quale viene il pane, – dal quale l'uomo è portato come pecora in braccio al pastore (*Lc* 15, 6).

Con estrema sensibilità coglie il dolore, e si prodiga nell'alleviarlo e nel toglierlo: «Egli sente compassione», è frequente come un ritornello nel Vangelo; interviene di fronte al dolore di una madre desolata (*Lc* 7, 13); si curva sugli ammalati con comprensione profonda («Figlia mia», «Figlio mio», li chiamerà spesso con tenerezza, cfr. *Mc* 2, 5; 5, 34); e più ancora con prodigalità di forza taumaturgica («Egli li sanava tutti», spesso nota l'Evangelo, cfr. *Mc* 6, 56; *Mt* 4, 24; anche a costo di scandalizzare i farisei cfr. *Mc* 1, 23; 3, 2); non mangia se prima non guarisce (*Lc* 14, 2); piange per l'amico e la patria (*Gv* 11, 33; *Lc* 19, 41).

Ma vive anche la soddisfazione, la gioia di ogni giorno e questo si può vedere facilmente, nel Vangelo, nella forma più umana e concreta, quella del pranzo: Gesù si lascia invitare, spesso (cfr. *Mt* 11, 19); le similitudini del suo Regno sono spesso mutuate alla gioiosa comunità del pranzo (cfr. *Lc* 12, 16; 15, 22; *Mt* 8, 11); e il suo dono più grande lo concepì come un banchetto, l'Eucarestia.

5. I rapporti dell'amore Egli profondamente vive: i rapporti della parentela (cfr. il miracolo di Cana), i rapporti dell'amicizia (Marta e Maria, Lazzaro, Giovanni).

Così san Paolo, promulgando la sua dottrina, chiamerà il matrimonio «Grande Sacramento» (*Ef* 5), e sottolineerà il valore della vita familiare (cfr. 1 *Tm*, 2, 15; 5, 4 s.).

6. Il lavoro Egli consacrerà nella Sua vita di Nazareth. Lo chiameranno *filius fabri* figlio del carpentiere.

Così il suo apostolo sottolineerà il valore del lavoro in passi memorabili: 1 *Ts* 4, 10 s.; 2 *Ts* 3, 6 ss. (dove è detto: «Chi non lavora non mangia»).

7. La convivenza sociale Egli lealmente rispetta: e si reca al tempio, e paga il tributo, e dice: «Date a Cesare quel che è di Cesare».

San Paolo dirà di ubbidire all'autorità, di rispettare i rapporti sociali (*Tt* 3, 1 ss.; *Ef* 6, 5 ss.).

8. Tutto ciò che è vivo e reale, dunque, nel nome di Cristo si afferma e si valorizza.

Si rileggano e meditino i passi stupendi di san Paolo: 1 *Cor* 10, 31; *Fil* 4, 8 ss.; *Tt* 3, 8 (ecco le buone opere: «tutto ciò che è bene e utile per gli uomini»).

Ecco la prima risposta cristiana ai nostri problemi: la vita, questa somma di problemi – di disegni, fatiche, dolori e gioie è qualcosa di immenso valore se Cristo l'ha abbracciata.

La prima risposta cristiana ai nostri problemi è quindi un'affermazione integrale e positiva della vita, una valorizzazione decisa della vita intera, senza rinnegamento alcuno di ciò che è vivo e reale.

II. Legge e libertà

La legge: esistenza

1. Abbiamo visto che i problemi sono determinati dal meccanismo della vita che si svolge.

Se il meccanismo procede bene, la soluzione dei problemi è assicurata.

Quando un meccanismo va bene? Quando segue le sue leggi. Per poter risolvere quindi i problemi della vita occorre seguire esattamente le leggi del meccanismo della vita umana.

2. È necessario fare grande attenzione alla superficialità nel giudicare di queste cose. Se noi vediamo un'Alfa 1900, restiamo colpiti dalla sua bella forma aerodinamica, dalla sua lucentezza, dal suo veloce sfrecciare, dal rombo armonioso, dolce e forte a un tempo, del suo motore: e siamo portati a vedere queste cose come le più importanti dalle quali dipende l'andar bene o meno della macchina. Invece la cosa più importante per la macchina è una realtà invisibile: è l'idea dell'ingegnere che l'ha fatta. Questa idea è l'elemento decisivo essenziale: questa idea è la legge della 1900; se si rispetta questa legge, questa idea, questa realtà invisibile, la macchina va bene; se non la rispetto la macchina va incontro alla catastrofe.

3. Così nei problemi della vita. Noi siamo portati a giudicare dall'esterno: nello studio siamo impressionati dai libroni o da chi sa tante cose; nel lavoro siamo colpiti dal dinamismo dei grossi stabilimenti che scandiscono i loro ritmi complessi; nell'amore dalle effusive tenerezze; nella società dalla lotta elettorale. E invece è *una realtà invisibile l'elemento decisivo per risolvere i nostri problemi*, è *l'idea di Dio*, che ha fatto il meccanismo della nostra vita. Risolveremo i nostri problemi nella proporzione in cui salveremo questa idea, – nella proporzione in cui «*faremo la volontà del Padre*».

Occorre che abbiamo il coraggio di riconoscere questa logica.

4. *Come scoprirla questa Idea-legge* che sta alla base dei nostri problemi?

Per scoprire la legge che governa la struttura e il funzionamento di un meccanismo, bisogna guardare allo *scopo* che si vuol ottenere con esso. Così se lo scopo è quello di vedere meglio dovrò congeniare il meccanismo del telescopio e del binocolo; se lo scopo è quello di farmi udire meglio, dovrò ideare struttura e funzionamento del microfono.

Qual è dunque lo scopo di Dio nel meccanismo della vita? La Sua gloria, d'accordo: ma attraverso *la perfezione della persona*.

I problemi sono tanto più risolti quanto più si realizza il perfezionamento della persona umana come tale. I problemi sono tanto meno risolti, quanto meno si mira alla perfezione integrale della persona, per l'impazienza e l'illusione di risolverli subito, uno a uno. Si possono benissimo applicare qui le parole del Vangelo: «Che vale all'uomo conquistarsi il mondo, se poi perde se stesso? O che darà l'uomo in cambio dell'anima sua?». Cioè: che vale se riesci a risolvere una ad una le tue brame terrene, le tue esigenze terrestri, i tuoi problemi, se dimentichi lo scopo finale della tua perfezione come persona? Le tue soluzioni sono radicalmente illusioni, precarie e unilaterali.

Non basta risolvere materialmente il problema: occorre soprattutto salvare la realtà della persona. E l'intuisce anche il senso comune, che giudica ingiusto, ad esempio, dar da mangiare umiliando; arricchirsi truffando; compiere riforme sociali uccidendo; sarebbero infatti soluzioni che non rispettano il valore della persona.

5. *Come si attua lo scopo di Dio?*

Noi rispettiamo lo scopo di Dio, perfezioniamo la nostra persona – e quindi risolviamo veramente i problemi – se in essi salviamo i valori ideali. *Il valore ideale: ecco la volontà del Padre in ogni problema.* Il valore ideale è anima ed essenza dei nostri problemi.

Ogni problema è un valore ideale che si incarna in un meccanismo.

Quell'interesse profondo che ci lega ai nostri problemi è proprio dato dal valore ideale: questa è l'attrattiva che li rende problemi veramente umani, a differenza della situazione degli animali, che pure conoscono, lavorano, s'accoppiano, s'aggruppano, ma che del richiamo ideale sono privi...

6. Possiamo sottolineare i valori ideali incarnati in ognuno dei problemi fondamentali.

Nel problema dello studio, della cultura è l'attrattiva potente a conoscere tutto il possibile e il nesso che tutto unisce: *l'attrattiva cioè del vero e dell'uno.*

Nel problema del lavoro è *la manifestazione della persona ordinatrice e costruttrice.*

Quando un artista è davanti a un pianoforte con la sua lucida e ampia tastiera, l'artista si sente trasportato ad essa, la usa, e nell'adoperarla si sente perfezionare, completare. Il mondo è il grande strumento che Dio ha messo davanti all'uomo: e l'uomo lo deve usare, lavorare secondo quelle idee che gli sorgono e pullulano dentro, e fervono impazienti. Il lavoro è un'idea dell'uomo che investe la materia e la trasforma incarnandovisi. Potrà essere un'idea di bellezza (ed ecco cattedrali, parchi, moda, spettacoli, ecc.), o un'idea di utilità (ed ecco la serie sterminata di utensili, macchine ecc.), o un'idea di umanità (ed ecco ospedali, scuole, ecc.)

Nel problema dell'amore il valore ideale è il *dono di sé che lega in unità colla realtà più alta, che è la persona, in unità feconda di vita*. Nel problema della convivenza sociale il valore ideale è *giustizia e progresso in comunità*.

7. Ripetiamolo: i valori ideali completano la persona. La persona è l'unità vivente di essi; la persona è il luogo proprio degli ideali.

Tanto più ideale, tanto più persona.

La soluzione dei problemi c'è tanto più quanto si completa la persona: perciò la soluzione dei problemi c'è tanto più si realizzano i valori ideali.

Ritorna alla memoria l'evangelico: «Soltanto una cosa è necessaria», che – inconsapevolmente – riecheggia nel carducciano: «Tu sol pensando, o ideal, sei vero».

La libertà

1. C'è in noi una capacità realizzatrice di ideali?

Se non ci fosse non potremmo neanche essere «persone». Ebbene, questa *capacità realizzatrice di ideali* c'è in noi ed ha un nome caratteristico: *libertà*.

2. Ecco, quindi, il problema d'ogni problema: usare bene della libertà. Questa è la seconda risposta cristiana ai problemi della vita.

Fortuna o disgrazia si determinano esclusivamente dal buono o cattivo uso della libertà.

Felice o infelice, è l'uomo che bene, o male, usa della sua libertà.

3. Occorre osservare che tra il meccanismo in moto dell'uno e dell'altro c'è nesso, – c'è un nesso tra le reazioni dell'uno e dell'altro: c'è un legame, insomma, tra i problemi dell'uno e dell'altro. Cioè, la libertà dell'uno è condizionata, nella sua attuazione, dalla libertà dell'altro.

Non basta l'uso buono della *propria libertà* perché tutto vada bene: perché tutto vada bene sarebbe necessario l'uso buono della libertà da parte di tutti!

4. Di fatto, qual è la situazione della libertà umana in atto nei singoli problemi?

Nel problema della *cultura*, negligenza e passionalità generano falsità di impostazione; l'orgoglio o l'incapacità producono un gran vociare di opinioni approssimate, sì che la visione intellettuale s'annebbia in un guazzabuglio sconcertante; e la mancanza di visione unitaria ingenera scetticismo sconfortato o favorisce il sorgere dei «*miti*».

Non c'è forse indice più evidente dello squilibrio in cui versa rispetto al problema della cultura la società moderna, quanto il fatto che essa è carica di miti. Il mito è sopravvalutazione di un elemento reale, che l'uomo scopre, ma che, – inebriato dalla sua scoperta – gonfia oltre misura, e fa assurgere a centro della realtà, a fenomeno fondamentale della realtà tutta: il mito cioè è attribuire valore divino a un pezzo della realtà. Così l'età moderna ha fatto mito della scienza, della nazione, del sesso, del proletariato.

Il *lavoro*, che dovrebbe costituire l'affermazione dell'ideale costruttore ed ordinatore insito nella vocazione umana, diviene la mortificazione della persona. Il fenomeno della disoccupazione sembra quasi organizzare l'impedimento alla libera espansione umana; *le umilianti condizioni* ne frustrano tutto il valore profondamente umano: lavoro in serie, artigiani che lavorano giorno e notte nell'ansia della concorrenza, impiegati arrivisti o ambienti di ufficio carichi d'immoralità, dirigenti, colla vita corrosa dalla febbre senza tregua degli affari. Il lavoro non è più attuazione di libertà, il lavoro è necessità rabbiosa, è schiavitù.

E invece di risultare essenzialmente ordinatore del mondo, spesso sfocia in *distruzione* del mondo; vedi la bomba atomica.

La tragedia catastrofica dell'umano lavoro ritrova la sua figurazione più esatta nella biblica *torre di Babele*. L'uomo crede di fare da sé, secondo direttive sue, dimentico dell'ideale divino da accettare con umile e laboriosa ubbidienza: l'uomo si confonde da sé.

L'*amore* dovrebbe essere dono e invece viene stravolto dall'egoismo per la *impazienza*, la *precocità* con cui viene cercata la soluzione, e l'*abuso* tremendo che fa, della *persona che si ama, uno strumento da usare* per il proprio gusto. Così nell'amore l'uomo si squilibra e disorienta.

L'amore dovrebbe creare sicurezza, tranquillità: e invece l'instabilità, l'insicurezza domina in esso, e la *volubilità* lo fa tremare dalle fondamenta.

L'amore dovrebbe essere fecondo: e invece l'*aridità* voluta, con tutti i mezzi cercata, è caratteristica della famiglia moderna, e l'educazione vera completamente dimenticata, perché i rapporti tra genitori e figli seguono un meccanismo quasi puramente istintivo.

L'amore dovrebbe essere l'anima creatrice della società: e invece un *disinteresse* assoluto caratterizza i rapporti *tra famiglia e comunità nazionale*, – la famiglia si considera circolo chiuso, né pensa mai di essere in funzione di una comunità più grande.

La *società*, che dovrebbe realizzare l'ideale di progresso e della giustizia sembra un meccanismo che impedisce questo, che opprime l'uomo, che esaspera la coscienza della libertà. Un senso diffuso di ribellione e di odio è negli individui verso gli organi della comunità, verso l'autorità, verso il governo. Un senso di *sfiducia* insuperabile domina.

5. Ma dunque la vita, la vita che si esprime e si fa sentire nei nostri problemi risulta in una situazione pestifera insanabile? *La vita è proprio morte?* Il bene degli ideali ci stimola e ci fa muovere solo per farci finire nel male?

Facendoci con l'aspirazione agli ideali, caricandoci la vita di problemi, Dio ci ha ingannati?

Dobbiamo proprio ripetere il grido leopardiano:

> O natura, o natura
> ...perché di tanto
> inganni i figli tuoi?

E il grido non è nostro appena; – il grido è altissimo, in san Paolo: «Me infelice, chi mi libererà da questa situazione mortale?» (*Rm* 7, 25).

Riecheggia nella nostra anima di giovani pensosi e appassionati, riecheggia nelle nostre anime che han fame e sete: «Chi mi libererà?».

La risposta affermativa sarà il segno della giovinezza che vive.

La risposta negativa sarà il segno della vecchiezza che muore.

III. Bene e male

Il male

1. I nostri problemi, abbiamo visto, sono irrisolti. Ecco il *male*. Il *male domina* la vita del mondo.

Come mai?

Tre risposte mondane sono rilevabili.

a) La risposta del *mondanismo borghese*: il male non c'è, almeno nel senso di qualcosa di cui ci si possa lamentare perché manchi; tutto è come natura ha fatto, tutto deve essere come è, perciò chi è ricco deve essere ricco, e il povero deve essere povero. Tutto è già al suo posto.

Evidentemente è una concezione possibile solo per chi sta bene, chi si trova bene in questo mondo, per gente mondanamente «fortunata». Si può richiamare il proverbio: «Chi sta bene non si muove».

Ma una simile risposta, caratteristica di un tempo passato, è troppo sfasata per le circostanze in cui viviamo, e – almeno teoricamente – abbandonata dalle nostre mentalità.

b) La risposta dell'*umanesimo scientista*: il male c'è ma è dovuto alla nostra imperfetta conoscenza della realtà naturale. L'uomo è un meccanismo come ogni altro meccanismo della natura materiale: quando la scienza avrà conosciuto il meccanismo in tutti i suoi particolari, allora si potrà congeniare una educazione prima, durante e dopo la nascita del seme umano così perfetta da togliere lo squilibrio dei desideri insoddisfacibili, e da rendere felice l'uomo. E – chi lo sa? – magari immortale, nel suo corpo, s'intende.

Il progresso della scienza, sarebbe perciò il dio salvatore dell'uomo.

c) La risposta del *marxismo*: il male c'è, ma è dovuto alla ingiusta situazione economica. L'uomo è, fondamentalmente, un animale, sia pur superiore agli altri; e tutto dipende dall'elemento economico. Se questo elemento economico è sviluppato e ordinato con perfetta giustizia, tutti gli squilibri saranno tolti, e l'uomo vivrà felice.

Il progresso della giustizia sociale, ecco il dio del marxismo – il meccanismo per questa salvezza universale è l'odio e la lotta di classe –, il redentore che per questo si sacrifica è il proletariato.

2. Queste teorie, di cui le ultime due dominano il nostro tempo, attribuiscono il male non alla libertà dell'uomo, ma alla situazione in cui l'uomo è e dalla quale l'uomo potrà uscire attraverso un progressivo meccanismo.

Eppure il nostro tempo è assai sensibile al fenomeno «scandalo»: segno evidente che permane una inconfessata o inconsapevole persuasione della responsabilità dell'uomo.

Di fatto i giovani, che sono più sani degli adulti e dei vecchi, sentono che nel male c'è un'ingiustizia della cui continuazione *l'uomo è responsabile*: essi tentano il superamento con le proprie forze, essi, non riuscendo, si scoraggiano, e i valori ideali dell'amore, della società, del lavoro, della verità li trovano scettici.

Abbiamo così le masse dei giovani rassegnati o disperati, le cui parole d'ordine sono: «Perché ti interessi? Chi te lo fa fare?». Spesso — tanto è necessaria per natura una prospettiva positiva! — ricadono poi, e soltanto dopo, nelle soluzioni anticristiane sopra accennate.

3. *La risposta cristiana*: la non-soluzione dei problemi, il male dipende dal cattivo uso della libertà, cioè dal *peccato*.

a) Rm 5, 12. «Per un solo uomo il peccato è entrato in questo mondo, e col peccato la morte, e così la morte è dilagata per tutta l'umanità».

La morte è anche simbolo di tutti i disastri: da Caino alla torre di Babele, tutto fa parte di quella condanna di morte.

La frase di san Paolo si può parafrasare così: proprio per il cattivo uso della libertà, il male è entrato nel mondo, i problemi non sono risolti. L'origine del disagio, in cui i problemi ci lasciano, dipende da un *cattivo uso della libertà all'inizio dell'umanità*.

b) Rm 7, 14-24. In questo brano famoso san Paolo accusa la presenza in sé di una «legge della carne» che combatte la «legge dello spirito».

Questa «legge della carne» è la *concupiscenza*, che l'uomo ha per nascita. Essa è come una tara ereditaria che limita in noi la capacità dei valori ideali, lasciando più libero campo al meccanismo dell'istinto: ed ecco perché nella ricerca di soluzione dei problemi siamo istintivi, e proviamo fatica ad abbordarli ragionevolmente.

Limitando la capacità dei valori ideali, la concupiscenza limita la libertà, ci rende perciò schiavi, legati, incapaci di muoverci bene.

Ecco la difficoltà insormontabile a risolvere i nostri problemi: questa tara che è la concupiscenza.

4. Nella risposta cristiana, quindi, il male (i problemi non risolti) è entrato col peccato nel mondo, e vi continua per il peccato, che la concupiscenza rende inevitabile. L'uomo, non potendo risolvere i suoi problemi, non riesce più ad essere uomo.

Più precisamente l'uomo è come un tutto diviso in due sensi opposti dalle opposte leggi dell'ideale e della concupiscenza, ed è schiavo di una forza limitante le sue possibilità.

L'uomo è in una situazione così contraria all'unità e alla libertà, caratteristiche fondamentali della sua personalità.

La situazione umana è agguato sempre in atto contro la saldezza e la dignità della persona.

Come naturale si sprigiona – e riecheggia per ogni cuore pensoso – il grido di san Paolo, umanissimo: «Me infelice! Chi mi libererà da questa situazione mortale?».

Il bene

1. Ed ecco la grande unica risposta: *Gratia Dei per Jesum Christum*, quel dono divino che è Gesù Cristo.

2. Pensiamo: uno di noi ci salva, un uomo che ha avuto i nostri problemi umani, un uomo in carne ed ossa ci salva!

Noi quasi sentiamo per istinto che, se salvezza ci può venire, essa ci verrebbe da una persona. Una persona ci deve salvare, non una dottrina, non un metodo, non una organizzazione, non una rivoluzione, non una guerra. Noi cerchiamo un nome nella cui scia mettere le nostre speranze, e il nome è l'espressione sintetica della realtà di una persona; noi giuriamo sui nomi, noi li chiamiamo i «grandi»; noi «votiamo» per loro, e la parola «votare» ha una radice identica alla parola «devozione».

Eppure sta scritto nella Bibbia: «Maledetto l'uomo che s'affida all'uomo». Poiché *un Uomo solo* è il nostro maestro: «*e non c'è in altro salvezza*».

Dicevano di Lui: «Nessuno ha mai parlato come questo uomo». Nessuno aveva mai indicato la strada della pace per gli uomini tribolati dal male, dai problemi insoddisfatti. *Ipse est pax nostra*. Il suo saluto è l'annuncio: «pace».

Lui infatti apre la prospettiva della soluzione, proprio dei nostri problemi di vita, perché san Paolo dice che, in questa creazione che «geme fra i dolori come di un parto», noi cristiani aspettiamo *la redenzione del nostro corpo*.

3. Ecco quindi la terza risposta cristiana ai problemi della vita: *il buon uso della libertà e quindi la soluzione dei problemi, dipende dall'attaccamento a Cristo*.

Attaccamento a Cristo, per essere liberi, per dare senso alla vita; come annuncia san Paolo: «Ecco, voi non siete più schiavi della carne, ma siete liberi nello spirito, se è vero che lo Spirito di Dio abita in voi» (*Rm* 8, 9).

4. Le condizioni dell'attaccamento a Cristo divengono perciò questioni di vita o di morte: non sono più viste come «cose» fra «cose» della vita, ma divengono gli elementi fondamentali d'ogni problema; esse costituiscono il primo bene da realizzare.

Queste condizioni si raccolgono tutte in una parola: *preghiera*. C'è una cosa che è nello stesso tempo preparazione alla preghiera e già preghiera: è *la conoscenza di Gesù Cristo*, lo studio di Gesù Cristo.

Per il giovane cristiano non ci dovrebbe essere passione di conoscenza più grande di questa. Non c'è, di fatto, dovere più trascurato.

La preghiera è innanzitutto un *pezzo di tempo* dato esclusivamente e direttamente a Dio.

Questo «pezzo di tempo» viene riempito da un dialogo con Lui, dialogo che fissa un solo pensiero, un solo atteggiamento, o che si effonde in lodi o in suppliche ricche di parole.

Spesso questi «pezzi di tempo» e questi dialoghi assumono una determinata regolarità ed entrano in certi schemi: sorgono così le *pratiche di pietà*.

Le pratiche di pietà sono come i pilastri che sostengono tutta l'architettura dei nostri rapporti con Dio. Sono salvaguardia contro l'instabilità e contro il soggettivismo sentimentale. La fedeltà ad esse è quindi condizione rigidissima di vita religiosa.

Occorre sottolineare l'urgenza del *raccoglimento*, che rende presente l'invisibile alla nostra conoscenza. In particolare occorre sottolineare il raccoglimento all'inizio della pratica di pietà.

I due grandi ostacoli delle pratiche di pietà, le *distrazioni* e le *aridità*, una volta che non siano colpevoli in quanto favorite direttamente o indirettamente, non solo non nullificano il valore della preghiera, ma, rendendo questa più combattuta, lo aumentano. Per quanto riguarda le distrazioni, siccome spesso sono causate da preoccupazioni terrene, si può aggirare l'ostacolo rendendo queste preoccupazioni oggetto del dialogo con Dio. Mentre, per le aridità, bisogna richiamare la necessità assoluta che esse non facciano crollare la fedeltà, a tutti i costi, e che – nello stesso tempo, si invochi da Dio il fervore che faccia rifiorire il deserto dell'anima: lo suggerisce anche l'*Imitazione di Cristo*, perché nel fervore è più facile il cammino, e quindi è prudenza chiedere – pur senza pretendere – questo aiuto alla nostra debolezza.

Fra tutte le pratiche di pietà, i *Sacramenti* hanno il potere di mettere l'uomo in contatto fisico e permanente con Cristo.

E fra tutti i Sacramenti, l'*Eucarestia* compie in modo mirabile il supremo contatto con Cristo. Per questo si può benissimo dire che l'Eucarestia è la condizione normale perché l'uomo possa camminare da uomo, sia cioè in marcia verso l'esatta soluzione dei suoi problemi più vivi.

L'Eucarestia fa partecipare nel modo più profondo alla *Messa*, che è la preghiera per eccellenza, perché è la preghiera vivente del sacrificio. Tutta la vita dell'uomo dovrebbe essere parte di questo sacrificio, in cui si realizza l'offerta totale dell'umana realtà del suo divino autore. La Messa dovrebbe stare, all'inizio d'ogni giornata, come l'inesauribile sorgente di quello *spirito di offerta integrale – o di immolazione – che deve costituire la vibrazione continua di ogni coscienza vivente*.

E proprio collegata con questo spirito sta quella che padre Voillaume, nel suo mirabile *Come loro*, chiama la *preghiera diffusa*. Citerò la sua spiegazione: «Questa orazione diffusa consisterà nel disseminare le nostre giornate di istanti di preghiera più o meno frequenti. Imparare a pregare il più semplicemente possibile con parole o con un semplice sguardo dell'anima dappertutto ed ogni volta che Dio ci solleciterà con la Sua Grazia... In una parola, si tratta di una reazione della nostra fede che, a poco a poco, tende ad essere abitualmente in atto ed a farci guardare la realtà invisibile del mondo... Abbiamo così la vera definizione di preghiera diffusa: essa è uno sguardo di fede sulla realtà del mondo».

Questo sguardo è l'unico *vero* sguardo nella realtà, e perciò sui problemi nostri e sulle loro dinamiche di soluzione.

Ed è uno sguardo esatto che, per il contatto sacramentale ed eucaristico in particolare, reca con sé anche la forza della attuazione coerente.

IV. La soluzione

Cristo è la risposta a tutti i problemi; ed il suo stesso nome ne contiene l'annuncio: Gesù, «Egli infatti salverà il suo popolo».

Pure, un'obiezione formidabile noi sentiamo rinfacciarci dai nostri avversari: è da 2000 anni che Egli è venuto, e il mondo è carico di male come prima; son 2000 anni che la Chiesa lo dice al mondo, e gli uomini gemono ancora sotto gli insoluti problemi.

Sembrerebbe dunque più che lecita la sfiducia in Lui, e l'accusa che i comunisti lanciano contro la Chiesa, e la ricerca di un'altra salvezza.

L'obiezione non sa di ripetere esattamente l'atteggiamento dei discepoli di Emmaus: «Noi speravamo che Egli avrebbe salvato Israele; ed ormai è il terzo giorno dopo quanto è avvenuto» (*Lc* 24, 21). Tre giorni e duemila anni: la delusione, di cui si accusa Cristo, è identica.

Urge spiegare il senso preciso del punto di vista cristiano; urge chiarire i termini definitivi. Urge quindi la risposta finale ai problemi della storia umana, in cui si iscrivono i problemi della nostra personale storia.

La risposta è profondamente dialettica e si definisce in triplice affermazione.

La soluzione esiste, e si manifesterà alla fine

1. *In illa die, Dies illa*: ecco le indicazioni che il Vangelo mette all'umano cercare.

Tunc videbunt Filium hominis venientem in nubibus cum virtute multa et gloria (*Mc* 13, 27); *allora*: ecco il grido direttivo degli umani sforzi. Sarà il giorno della *pienezza dei tempi* di cui racconta san Paolo in *Efesini*, 1, 10, 14.

2. Di fronte alla vita la *parola* cristiana è: *speranza*. *Spe salvi facti sumus*: siamo salvi nella speranza, diceva san Paolo (*Rm* 8, 24).

Di fronte alla vita, *l'atteggiamento* cristiano è quello dell'uomo diritto, eretto in tutta la sua statura, col volto aperto e vibrante dell'attesa. Lo descriveva san Paolo nella *Lettera a Tito* 2, 13: *expectantes beatam spem et adventum gloriae magni Dei et Salvatoris nostri Jesu Christi*.

3. Occorre analizzare quest'*atteggiamento fondamentale dell'esistenza cristiana*, che è speranza.

La speranza è innanzitutto certezza dell'esistenza della meta.

La speranza è cioè la fede nel futuro. Dalla fede essa mutua la caratteristica di prova: «Una speranza che si veda, non sarebbe più speranza; infatti, se uno vedesse, come potrebbe sperare?» (*Rm* 8, 24).

La speranza segue le sorti della fede: «O stolti e tardi di cuore *a credere* in ciò che han detto i Profeti! Forse che non fu necessario che il Cristo patisse e così entrare nella Sua gloria?» (*Lc* 24, 25 s.).

Quanto è vero che ci ritroviamo nei viandanti di Emmaus! *La speranza è certezza di arrivare alla meta.*

E questo implica:

certezza di essere sulla strada giusta;

certezza di avere forze sufficienti.

La certezza di essere sulla strada giusta è fede – ancora! – in Cristo: *ego sum via.*

La certezza di avere forze sufficienti è fiducia in Cristo: *noli timere, pusillus grex!*; *Si Deus pro nobis, quis contra nos?*

Il cristiano è quindi uno che cammina verso la sua meta nella luce (la strada giusta), e nella fortezza (le forze sufficienti). E luce e fortezza gli provengono da Uno che gli è accanto: Cristo.

Il cristiano è uno che non cammina mai solo.

4. Contro la speranza cristiana sono due *gli errori* più gravi.

L'atteggiamento di tanta gente, che non ha certezza, ma dubbioso timore nel seguire Cristo. Essi vanno anche fedelmente in Chiesa, e gremiscono la Messa festiva – specialmente l'ultima! – ma se fossero richiesti del perché compiono quel dovere religioso, sarebbero incapaci di dire con fermezza: «Io credo!»; essi potrebbero esprimere il loro stato d'animo religioso titubante e malsicuro con un: «Bah! Speriamo! Speriamo che qualcosa ci sia!». E questo è il contrario della speranza cristiana: *l'incertezza timorosa*, dubbiosa, approssimativa.

Il secondo errore contro la speranza cristiana è l'*impazienza*. Dai primi cristiani di Tessalonica che non lavoravano più perché aspettavano da un momento all'altro la venuta di Cristo, alla gente che attendeva la fine del mondo nell'anno mille, alle sette avventiste di oggi – è la stessa tentazione d'impazienza: e tutti la proviamo un po'! Noi dimentichiamo che davanti a Dio mille anni sono come un giorno solo: né dobbiamo misurare col nostro metro ciò che è in potere del Padre.

Nel frattempo il male domina

1. Di fronte al mondo, il cristiano è estremamente *realista*. Non cerca di nascondersi la gravità del male che vi attecchisce come tremenda gramigna; non si illude sulla situazione, e sa vedere la radice del male al fondo stesso dell'uomo terreno, impossibile è estirparlo fino alla fine del mondo.

Gesù previde l'anti-cristo – il simbolo supremo del male – alla fine del mondo; e san Paolo parla del «*mistero d'iniquità*» che pervade la storia fino alla fine (2 *Ts* 2, 7).

2. San Paolo descrive anche mirabilmente questo male umano. Egli parla degli «ultimi tempi», ma la descrizione la sentiamo acutamente contemporanea: tra la venuta del Cristo e la fine, ogni giorno è come l'ultimo giorno. «Negli ultimi giorni, egli scrive, verranno tempi difficili, perché gli uomini saranno egoisti, avidi di denaro, vantatori, superbi, maldicenti, ribelli ai genitori, ingrati, irreligiosi, disarmanti, sleali, calunniatori, intemperanti, crudeli senza amor di bene, traditori, temerari, gonfi di orgoglio, amanti del piacere più che di Dio, con apparenza di pietà, ma rinnegatori di quello che ne è l'essenza vera» (2 *Tm* 3, 2 ss.).

3. San Pietro, nella sua seconda lettera ai primi cristiani, dà il *motivo* della permanenza del male: «Questo soprattutto non vi sia ignoto, o carissimi, che innanzi a Dio un giorno è come mille anni e mille anni come un giorno. Non è che il Signore ritardi la sua promessa, come certuni pensano; ma Egli usa pazienza per riguardo a voi, perché, non vuole che alcuno perisca, ma che tutti ritornino a penitenza» (2 *Pt* 3, 8 ss.).

La ragione cioè della durata del male è la libertà dell'uomo: il massimo dono alla sua persona fatto da Dio, e quindi il dono che Dio più rispetta. La libertà, che è capacità del bene: e Dio continuamente provoca questa energia mirabile ch'Egli stesso ha creato, e aspetta che essa si attui e positivamente si affermi.

4. L'atteggiamento del cristiano, perciò, partecipa a questo atteggiamento di Dio. L'atteggiamento del cristiano implica un aspetto che qualifica la sua speranza: è l'aspetto della *pazienza*.

Questa è la parola cristiana di fronte al male: *per patientiam expectamus*.

5. Pure, una obiezione ancora fortissima noi sentiamo a questo punto ergersi contro: allora il male è proprio così inesorabile che non ci sia più nulla da fare sino alla fine? Secondo l'accusa dei comunisti, noi ci rassegnamo al presente cattivo, noi ci arrendiamo al male presente, sognando l'avvenire?

Che parte ha, che destino hanno l'ideale, il bene, Cristo nel mondo? E quindi fino a che punto si può parlare di possibilità di soluzione dei nostri problemi nel presente?

La soluzione che si manifesterà alla fine è già presente,
operante come un seme in sviluppo, come un lievito in fermento

1. Gesù ha paragonato la presenza del Regno di Dio al seme di senapa, ha paragonato se stesso al seme di frumento, semi destinati a sviluppo, ma non è detto quando copriranno tutta la terra dei loro rami o assimileranno tutta la terra nella loro spiga.

E san Pietro (1 *Pt* 2, 2) paragona il cristiano nel mondo al bambino che cresce: egli parla anche a cristiani maturi, e la pienezza della loro vita in Cristo, la soluzione finale della loro vita sono una mèta cui ancora si tende.

2. Un giorno si presentò a Gesù un uomo chiedendo che impegnasse la sua autorità presso il fratello che non voleva con lui dividere l'eredità. Era una questione di vera giustizia: non c'è chi non lo veda; e la giustizia è un valore morale. Gesù risponde: «Chi mi ha costituito giudice tra te e tuo fratello?». Gesù si rifiutò di intervenire, anzi condannò l'amore del denaro.

Il fatto è assai significativo.

Gesù non è venuto per portare la soluzione meccanicamente completa dei problemi umani: Gesù ha portato il *principio profondo* della soluzione, che attraverso la libertà umana si applica e si afferma. Se quel fratello avesse avuto la carità da Cristo predicata, non avrebbe tentato d'accaparrarsi ingiustamente la parte dell'altro, e il problema era risolto alla radice.

Così san Paolo non predicherà la liberazione degli schiavi: per quanto la schiavitù sia un sistema evidentemente non nella linea dello spirito evangelico. Pure il cristianesimo predicato da san Paolo porrà nel mondo i principi che scardineranno dall'intimo la mentalità schiavista e la faranno col tempo crollare.

Con Cristo, quindi, il principio risolutivo è entrato nella storia dell'uomo, ma esso si afferma veramente secondo la legge evolutiva del seme nella terra, o del lievito nella massa di farina. Quanto più la terra umana lascerà libero corso alla presenza di Cristo, quanto più la massa sarà fermentata dal principio cristiano, tanto più i problemi saranno risolti.

Notiamo come il dinamismo, che caratterizza la redenzione dell'uomo da parte di Cristo, è lo stesso dinamismo che caratterizza tutto ciò che nella realtà è *vita* e la legge di ogni vita creata, la legge del *seme*.

3. Compito supremo di ogni apostolato non è quindi direttamente cambiare la faccia al mondo risolvendone i problemi. *Compito supremo di ogni apostolato è portare Cristo*, cioè mettere nel mondo il seme della soluzione, che si realizzerà in proporzione della resistenza maggiore o minore che farà la pasta umana all'azione di quel lievito divino.

Compito supremo di ogni apostolato è quindi comunicare agli uomini innanzitutto la verità evangelica, l'integrità della quale deve essere presentata in termini il più adatti possibile alla mentalità e ai bisogni del tempo, perché solo così essa può venire compresa dagli uomini del secolo: e ciò implica uno sforzo profondo di adesione e di ripensamento della verità evangelica; Pio XII ce ne dà altissimo esempio.

Inoltre, compito supremo di ogni apostolato è quello di recare agli uomini la vita di Cristo nei Sacramenti; questo implica un intenso incremento di fervore e di espansione della comunità della Chiesa.

4. Se il compito dell'apostolato è di diffondere Cristo, *è compito proprio di ogni cristiano fare – per così dire – l'applicazione tecnica di quel principio risolutivo, che è Cristo, ai singoli problemi e ai singoli casi.* Questa applicazione avviene man mano che il puro ideale di Cristo diventa vivo nei suoi fedeli.

La soluzione, quindi, è sempre in atto; ed è in progresso continuo. La «fine» è già cominciata, da quando Cristo è venuto, e si va completando via via fino all'ultimo giorno. Ed i cristiani sono gli strumenti di questa soluzione e di questo progresso.

5. Disse Gesù nel Vangelo: «Dai frutti si conosce l'albero». Se veramente Cristo ha portato la soluzione degli umani problemi, sia pure come seme in sviluppo, bisognerà in qualche modo che lo si possa *documentare dagli effetti*. Noi abbiamo esigenza di fatti. Del resto Gesù ha detto: «Credete alle mie opere».

Possiamo documentare la validità della soluzione cristiana con una duplice serie di osservazioni.

Ci sono dei vertici in cui la soluzione dei problemi si manifesta presente con una completezza e una forza straordinaria. È la *grande testimonianza dei Santi*.

– L'amore mai si è potuto realizzare con una purezza e una forza tale (v. santa Teresina);

– la conoscenza in essi ha conquistato una limpidità e una potenza altissime (v. san Tommaso, santa Caterina da Siena);

– il miracolo, in essi, realizza quel dominio della realtà che tutto il lavoro di secoli non è riuscito ad assicurarsi;

– la convivenza, attorno ad essi, diventa comunità laboriosa e fraterna (v. san Benedetto, san Francesco).

Anche in altre religioni, è vero, ci sono personalità di grande rilievo e virtù. Ma la grandezza umana, al di fuori della Chiesa, sempre è inficiata di unilateralità, è sempre nel pericolo prossimo di negare e trascurare qualche lato dell'umano, mancando così di quell'equilibrio e di quella completezza che è indice di verità. Inoltre il numero delle persone d'altissima statura spirituale è incomparabilmente superiore nella Chiesa che in altre religioni; la Chiesa di Cristo ha reso normale, si può dire, l'eroismo, anche se esso si vela della dimenticanza in cui si sacrificano con profondità di dedizione suore, missionari, giovani e figliole.

Un'altra documentazione si può rilevare dal fatto che *quanto più Cristo è seguito e i suoi valori ideali presi sul serio come norma, tanto più il problema umano è risolto.*

Quanto più il rapporto di carità cristiana è vissuto, tanto più l'operaio sarà trattato bene dall'imprenditore e viceversa.

Quanto più l'amore umano sarà concepito in termini di dedizione vicendevole e insieme di dedizione al mondo, tanto più la famiglia avrà coesione, e la sua atmosfera sarà di alacre pazienza, di profonda comprensione, di fedeltà assoluta, di gioia possibile e fresca.

Quanto più la dignità della persona è valutata nella sua dimensione altissima, essendo determinata dal fatto che la persona dipende direttamente solo da Dio, tanto più la libertà sarà salvata.

Quanto più la coscienza di servire un disegno divino sarà viva, tanto più con entusiasmo l'uomo si sacrificherà per il progresso del mondo.

Se il mondo non soggiace a catastrofi e dolori maggiori, se esso può tirare aventi, è proprio perché qualcosa dei valori ideali di Cristo viene incarnato negli sforzi umani per risolvere gli umani problemi. Il cristiano è perciò, come il maestro, «straniero nel mondo»; ma come è straniera in casa sua la mamma, che i figli discoli disprezzano e dimenticano nelle loro ebbrezze e distrazioni giovanili, ma che rimane *l'anima della casa, l'ordine della casa, la salvezza di ciò che rimane della famiglia.*

E perché, ci verrebbe da chiedere, Dio non dona alla sua Chiesa un tal numero di santi e una tale profluvie di miracoli, fisici e morali, da *costringere* quasi gli uomini a vedere che la soluzione è *evidentemente* dov'è Cristo? La risposta – come la domanda – vale anche per quanto riguarda l'atteggiamento di Gesù nel Vangelo. «Dacci un segno dal cielo», lo sfidavano i Giudei; «se sei Figlio di Dio, discendi dalla Croce», cioè mostra che sai risolvere il tuo problema. Invece Dio ha permesso allora a Gesù, e alla Chiesa ora, di mostrare quel tanto di capacità di soluzione che documenti come essi abbiano ragione, ma che non costringa ineluttabilmente a riconoscerli come veri.

Dio, in una parola, permette nel mondo quel tanto di soluzione dei problemi che *renda doverosa la fede, senza togliere la prova della fede!*

V. Conclusione

1. La «fine», in cui i problemi saranno compiutamente risolti, è già tra noi: «Il Regno è già tra voi». È già tra noi, come seme. *La legge di sviluppo* nella soluzione dei problemi è questa: *approssimazione indomabile all'ideale.* «Siate perfetti *come è* perfetto il Padre vostro che sta nei cieli»: questo «come» sarebbe la più tragica utopia, e la vita sarebbe disperazione, e ogni idealità promessa beffarda, se Cristo non ce l'avesse reso meta possibile e doverosa: la soluzione del nostro complesso problema umano è dentro lì; la vita tutta è tendervi.

2. Per realizzare la legge di sviluppo, l'approssimazione indomabile dell'ideale, concorrono *due determinanti*: una fondamentale, stabile; e una mutevole.

La determinante stabile, identica per ogni tempo, è vivere Cristo, formarsi una coscienza integralmente cristiana, avere cioè *genuina sensibilità cristiana.*

La evoluzione della storia umana è il disegno con cui Dio educa e conduce al suo destino l'uomo. Le esigenze nuove, che caratterizzano le tappe di questa evoluzione, segnano la strada per cui Dio ci chiama. Ecco il compito del cristiano vero: *comprendere con sollecita acutezza e con estrema lealtà, amare le esigenze nuove del suo tempo, per poter incarnare i valori ideali di Cristo nelle strutture e nelle istituzioni che quelle esigenze cercheranno di risolvere, nei tentativi di risposta che a quelle esigenze si cercheranno di dare.*

Così la Chiesa, attraverso il veicolo dell'evoluzione umana, porta verso la loro manifestazione finale i germi degli ideali divini che Cristo le ha deposto in seno.

Così il cristiano, che dalla propria età e dal proprio ambiente eredita l'acuirsi dei suoi problemi, porta nel lavorio per risolverli, le direttive ideali di Cristo e della Chiesa.

3. La visione della vita per il cristiano è, quindi, quella di una *tensione* continua tra la sua situazione terrena e l'ideale di Cristo; è quella di uno *sforzo* continuo per orientare la sua situazione terrena secondo l'ideale di Cristo.

Tensione, sforzo: cioè *lotta*. «La vita dell'uomo sulla terra è una guerra» dice la Bibbia. E la parola d'ordine con cui Cristo consegna i suoi seguaci è: «State pronti – Estote parati», oppure: «State all'erta – vigilate», la parola che si addiceva alle sentinelle, di notte.

Ascoltiamo quel vibrante richiamo di san Paolo che è nello stesso tempo la descrizione della figura cristiana nel mondo: «Fratelli, siate forti nel Signore e nel potere della forza in Lui. Rivestitevi dell'armatura di Dio per poter affrontare le insidie del nemico... Per questo prendete l'armatura di Dio affinché possiate resistere nel giorno cattivo e, compiuto il vostro dovere, restare diritti. Saldi ovunque, cingendo i vostri fianchi nella verità e indossando la corazza della giustizia, calzando i piedi nella preparazione (della meta)...; in ogni cosa impugnano lo scudo della fede, su cui possiate spegnere tutti i dardi infuocati del maligno. E prendete anche l'elmo della salvezza e la spada dello Spirito, che è la parola di Dio...» (*Ef* 6, 10-17).

4. Se la visione della vita per il cristiano è visione di lotta, il simbolo espressivo di questa visione è la *croce*.

Sulla croce, Cristo agonizzava: la parola greca da cui deriva l'italiano «agonizzare» vuol dire proprio «lottare». L'agonia è la lotta suprema. Ma tutta la vita è agonia. La croce è tutta la vita.

Pure, la salvezza viene da essa. Nella proporzione in cui la accettiamo – come Cristo – noi salviamo il mondo e noi stessi.

Per questo la Chiesa grida: *Ave, Crux, spes unica*.

5. Ma, da ultimo, per comprendere la risposta che Gesù dà al problema della vita umana, per vivere di speranza, nella pazienza con indomabile lotta per realizzare l'ideale, occorre che l'anima della nostra anima sia la fede:

Justus meus ex fide vivit. L'uomo giusto vive di fede.

Crisi e possibilità della gioventù studentesca

La descrizione e la documentazione sembrano troppo spesso l'alfa e l'omega della saggezza moderna, ma noi non possiamo permetterci il lusso di attardarci nella descrizione della fenomenologia del problema che ci siamo posti: ciò viene fatto già ampiamente. Cerchiamo di individuare subito gli elementi che ci sembrano decisivi per una diagnosi.

Siamo innanzitutto costretti a fare una premessa significativa: per il luogo che occupa nella cronologia di ogni vita, in tutti i tempi la gioventù avrà presentato spettacolo di crisi. Perciò, se ora si parla di una crisi dei giovani, particolare ed eccezionale, questa, in ultima analisi, deve essere ricercata in una crisi dell'educazione, dei fattori educativi. Crisi dunque di educatori?

Mai come oggi l'ambiente, inteso come clima mentale e modo di vita, ha avuto a disposizione strumenti di così dispotica invasione delle coscienze. Oggi più che mai l'educatore, o il diseducatore, sovrano è l'ambiente con tutte le sue forme espressive. Perciò la crisi degli educatori si profila in primo luogo come inconsapevolezza che rende gli educatori stessi collaboratori magari incoscienti delle deficienze dell'ambiente, e in secondo luogo come mancata vitalità nell'atteggiamento educativo che non li fa combattere con sufficiente energia le negatività dell'ambiente, in quanto li attesta su posizioni schematicamente tradizionali, formalistiche, invece che portarli a rinnovare l'eterno Verbo redentore nello spirito della nuova lotta.

La premessa ha un'importanza particolare nel mondo studentesco, non solo in quanto i miei rilievi si originano integralmente dall'esperienza in tale campo, ma anche perché la figura dell'educatore, nel senso più stretto della parola, vi permane in una trama di presenze insinuatrici e sollecitatrici senza paragone con altri tipi di vita.

La situazione critica della gioventù, originata dunque da una carenza educativa, mi pare che si possa ricondurre facilmente a due capi: assenza di reali convinzioni e assenza di eticità adeguata. Osserviamo da vicino queste due assenze; mi soffermerò più ampiamente sulla prima, perché in fondo costituisce l'origine anche della seconda.

Assenza di convinzioni

La responsabilità fondamentale dell'assenza di convinzioni, a mio parere, si riduce al *modo* dell'insegnamento. Codesta parola si riferisce ad un ambito di fenomeni che precede ed eccede la scuola, ma indubbiamente riguarda soprattutto la scuola nella quale i responsabili naturali dell'educazione del ragazzo mancano al loro compito di introdurlo alla conoscenza della realtà. Ora ecco ciò che a me è parso sperimentare come gravissima deficienza dell'insegnamento moderno: il giovane non è sufficientemente aiutato a compiere l'esperienza della corrispondenza tra il reale e la sua coscienza, fra la realtà e se stesso; il giovane non è aiutato sufficientemente a compiere l'esperienza della verità (cfr. *Adaequatio rei et intellectus*).

Anche qui i miei rilievi si appuntano su due aspetti del problema: innanzitutto l'insegnamento non si cura di offrire aiuto per la scoperta di una ipotesi esplicativa unitaria; in secondo luogo l'insegnamento non si preoccupa di riferire il giovane ad un impegno esistenziale, unica possibilità di verifica.

a) Innanzitutto, dunque, *l'insegnamento non si cura di offrire aiuto per la scoperta di una ipotesi esplicativa unitaria*. La predominante analiticità dei programmi abbandona lo studente di fronte ad una eterogeneità di cose e a una contraddittorietà di soluzioni che lo lasciano, nella misura della sua sensibilità, sconcertato e avvilito d'incertezza. In scuola, qualche volta, paragonano lo studente ad un bambino intelligente, che entrando in una stanza trovi sul tavolo una grossa sveglia; egli è intelligente e curioso, perciò afferra la sveglia e pian piano la smonta tutta; alla fine, davanti a sé, egli ha cinquanta, cento pezzi. È stato veramente bravo, ma a questo punto egli si smarrisce e piange: ha lì tutta la sveglia, ma la sveglia non c'è più; gli manca l'idea sintetica per ricostruirla. Il giovane studente manca, normalmente, di una guida che lo aiuti a scoprire quel senso unitario delle cose, senza del quale egli vive una dissociazione, più o meno cosciente, ma sempre logorante. E in un giornaletto studentesco, un ragazzo ha scritto così: «Il vero aspetto negativo della scuola è quello di non far conoscere l'umano attraverso i valori che troppo spesso, tanto inutilmente, maneggiamo: mentre in ogni azione l'uomo rivela la sua indole, appare ridicolo (o tragico?) che a scuola, attraverso lo studio delle varie manifestazioni degli uomini, si percorrano alcuni millenni di civiltà senza saper ricostruire con sufficiente precisione la figura dell'uomo e il suo significato nella realtà. La nostra scuola è impostata su un naturale neutralismo che annulla ogni valore... ma la cecità del nostro tempo – continua l'articolista – assai di rado fa sì che la scuola sia chiamata al banco degli imputati quando è veramente rea. La si chiamerà perché non la si trova in grado di formare buoni tecnici, bravi specialisti e gente competente; la si chiamerà per la questione del latino o per i programmi degli esami relativi alla maturità; non la si chiamerà perché non è riuscita a formare veri uomini, a meno che non capiti che questi "non uomini" commettano qualche sciocchezza grossolana e clamorosa, come ad esempio un episodio di intolleranza razziale».

Lo scetticismo, più o meno larvato o clamoroso, diviene l'atmosfera dell'anima dello studente, aura sottile e rabbrividente, o nei più sensitivi bufera dispersiva o tempesta che schianta. Comunque sempre ne svuota ogni capacità di slancio, e lo studente diventa simile ad un uomo che cammini sulla sabbia: i tre quarti, o i quattro quinti o i nove decimi dello sforzo compiuto sono assorbiti dall'instabilità del terreno. Poi ci lamentiamo perché non costruiscono: ma che cosa e su che cosa?

Diceva in un gruppo di studenti un liceale: «Ci fanno studiare un'infinità di cose e non ci aiutano affatto a comprendere il senso di queste cose. Perché ce le fanno studiare?».

Una delle ambiguità per me più strane, e certo, sperimentalmente, più nemiche del sereno e solido sviluppo della giovane coscienza, è la classica affermazione del laicismo contemporaneo che la visione unitaria, il significato sintetico, deve emergere spontaneamente allo spirito dell'individuo nel confronto, come dicono, libero e oggettivo.

Nulla a me pare più contrario al metodo oggettivo della natura, la quale getta l'uomo nell'essere, nell'essere preciso in una positività perfettamente enucleata, e con questa precisa positività già enucleato lo fa incontrare e paragonare con tutto. È questa positività originale, è questa originale ipotesi in cui la natura ci pone, che si deve svolgere. Lo diceva anche Newman che tutte le conversioni non sono altro che la scoperta più approfondita di quello che già prima veramente si voleva. Ogni vera conversione è un approfondimento; lo strano concetto di novità, che è in voga, dimentica come ogni esperienza di vera novità, quindi di conquista, è necessariamente un paragone con qualche cosa che rimane, ché altrimenti non è una novità, è dissoluzione, è polvere: *Tamquam pulvis quem proicit ventus a facie terrae*.

Quell'affermazione laicista mi pare gravemente ambigua, proprio perché un vero confronto esige una consapevolezza di sé, uno sviluppo intenso di quell'ipotesi originaria che ci costituisce. Senza di questa, l'individuo non giudica per confronto, ma si abbandona ad una reazione. Del resto il confronto è vero solo se aumenta la personalità, cioè se favorisce una genuina libertà di giudizio e di scelta; ma mi pare proprio che l'esperienza insegni che lo studente, almeno liceale, se non è aiutato da un preciso criterio educativo non riesce a giudicare né a scegliere *veramente*. Il nuovo, l'impressionante, il meglio espresso, la soluzione più tornacontistica: questi sono i veri criteri in base ai quali egli sceglie, per cui si può dire che egli non giudica e non sceglie veramente, ma reagisce ad un'impressione e ne è prigioniero. Qualsiasi ricerca deve svilupparsi da una ipotesi, e mentre questo è stato così ben scoperto per gli astri e le stelle, viene invece spesso dimenticato per la natura umana. L'accendersi di questa ipotesi è segno del genio; l'offrirla ai discepoli è l'umanità del maestro; l'aderirvi come a luce nell'avventura del proprio cammino è la prima intelligenza e la saggezza del discepolo. Mi ritorna alla mente una frase di Gesù: «Se il tuo occhio è scuro *tenebrae quantae erunt?*». Per cui l'atteggiamento veramente più diffuso nei giovani è una dubbiezza impossibile ad estirpare con qualsiasi discussione, perché in fondo è indifferenza alla verità, oppure codificazione imperterrita delle impressioni.

Noi dobbiamo pensare che l'assenza di una ipotesi come criterio esplicativo unitario implica addirittura, per noi insegnanti cristiani, l'assenza della figura di Cristo come chiave di volta di tutto il reale. *Lux in tenebris lucet et tenebrae eam non comprehenderunt.* E in queste tenebre siamo noi, educatori cristiani.

b) Vediamo ora il secondo aspetto della carenza che abbiamo notato nell'insegnamento. Oltre che per la sua analiticità, per l'assenza di un criterio unitario positivo, l'insegnamento oggi, da un punto di vista educativo, manca per quel razionalismo di impostazione che *dimentica l'importanza dell'impegno esistenziale come condizione inevitabile per una genuina esperienza di verità e quindi per una convinzione.* Non si può capire la realtà se non «ci si sta». Anche l'evidenza più geniale non diviene convinzione, se «l'io» non familiarizza con l'oggetto, non gli dà del tempo, non convive con esso: cioè non lo ama.

Il razionalismo moderno dimentica o rinnega la fondamentale dipendenza dell'io, dimentica o rinnega la grande, originaria sorpresa che è l'evidenza. (Un ragazzo di prima liceo, dopo una discussione, definì così l'evidenza: l'accorgersi di una inesorabile presenza.) Il razionalismo di oggi dimentica o rinnega che vivere è condividere l'essere, che perciò c'è una compagnia da accettare lealmente ed intensamente, se si vuol vivere con intelligenza.

La mentalità moderna insegna, purtroppo, ai giovani a seguire le cose fino ad una misura ad essi comunque gradita, e poi basta. Per cui quella *presenza* è affrontata come spunto per affermare proprie preoccupazioni, propri schemi: non per essere seguita fedelmente fino in fondo. Per cui là dove quella presenza non corrisponde a predeterminate preoccupazioni il fuoco di fila dei «ma» e dei «se» fa così spesso da copertura a una mancanza di disponibilità e di genuino amore al bene.

Ecco allora quella diffusa paura, quella strana incapacità nei giovani ad affermare l'essere. Questa paura di affermare l'essere sorge proprio da un mancato impegno con l'essere, sia che quella paura si ritraduca nel disinteresse in cui i più vivono, sia che si esprima nel «terrore d'ubriaco» di Montale.

Proviamo a pensare quanta intensità di solida adesione all'esistenza (dico all'esistenza, e non ad una interpretazione di essa) occorra per seguire tutta la voce della realtà nel suo richiamo analogico, fino ai valori personali, fino a Dio! È naturale che i ragazzi si fermino subito, prima ancora di cominciare, se non sono aiutati ad aderire sinceramente all'esistenza.

Ancora il già citato giornale studentesco commentava: «Ma è possibile una medicina a tutto questo? Forse l'unico mezzo educativo che possa farci scoprire la vera umanità dell'uomo, la strada che egli deve percorrere per realizzare senza equivoci se stesso, è la cordiale, istintiva, diremmo, attenzione al positivo, in qualunque modo si proponga, attraverso le pagine di un testo, la voce dell'insegnante, l'insuperabile concretezza di un gesto d'amore. Il lato amaro della situazione è che la strada verso il positivo ci sembra oggi di doverla percorrere da soli, e l'amore istintivo, che per essa nutriamo, non sempre sa sorreggerci fino alla meta». In fondo è un rilievo che si trova d'accordo con quanto dice Seneca nel *De ira*: «Ti ho riferito queste cose per dimostrarti quanto impetuosi sarebbero gli slanci dei novizi verso le cose più alte, se qualcuno li esortasse, se qualcuno li infiammasse. Invece si erra, un po' per colpa dei maestri che ci insegnano a disputare e non a vivere e un po' per colpa dei discepoli i quali portano ai maestri il proposito di coltivare l'intelletto o la scienza e non l'animo, e così quella che fu filosofia è divenuta filologia e quella che fu saggezza diventa qualcosa che ora chiamiamo scienza».

Se volessimo riassumere, dovremmo dire che psicologicamente la convinzione sorge dalla scoperta che l'intelligenza propone come ipotesi unitaria, ma che l'amore verifica nella dedizione all'esistenza. Perciò, per aiutare l'avvenimento della convinzione, un'educazione deve da una parte *proporre chiaramente, decisamente, un unitario senso delle cose*, e dall'altra instancabilmente spingere il giovane a confrontare con quel criterio ogni incontro, *ad impegnarsi cioè in una personale esperienza, in una verifica esistenziale*.

Proviamo a pensare all'importanza enorme che tutto ciò deve avere per una convinzione religiosa. Possiamo elencare allora in breve le manchevolezze che spesso si trovano nel cuore stesso della nostra educazione religiosa.

Innanzitutto – l'abbiamo già notato – *l'assenza di Cristo dall'incontro con le cose*, con tutte le cose, in quanto la sua profonda pertinenza non viene neanche proposta. Il discepolo preferisce allora arzigogolare con l'intelletto, anziché accettare il mistero.

In secondo luogo: *il voler comprendere prima di impegnarsi*. Purtroppo è un errore diffusissimo, ed alimentato.

Per fortuna c'è il tempo che ci fa diventar vecchi, c'è la bontà di Dio che ci butta negli incontri, c'è la natura che spezza il nostro disinteresse e ci riporta su posizioni più profonde, perché altrimenti il volersi impegnare solo dopo aver capito vorrebbe dire non volersi impegnare mai.

In terzo luogo: *l'incuria con cui si segue il cambiamento di una certa età* (l'età che corrisponde alla scuola media superiore) nella quale le idee ricevute, i gesti devotamente ripetuti, la discrezione obbediente, tutto deve diventare come una ipotesi sperimentata nelle esperienze nuove cui l'individuo va incontro da solo. Se dai quattordici anni in poi, per quattro o cinque anni, insistentemente e sistematicamente il ragazzo non è aiutato a vedere la connessione tra il dato (la «tradizione») e la vita, le sue nuove esperienze creano le premesse perché egli assuma uno dei tre attèggiamenti nemici del cristianesimo: l'indifferenza per cui si sente come astratto tutto ciò che non entra in contatto diretto con l'esperienza, il tradizionalismo nel quale la gente più buona o meno vivace si arrocca rigidamente per non guardare ciò che sta fuori e per non sentirsi turbare la propria fede; l'ostilità perché un dio astratto è certamente un nemico, del quale, come minimo, si può dire che ci fa perdere tempo. Il metodo decisivo per impedire ad una certa età tali atteggiamenti, sta nella sperimentazione di ciò che è stato dato, che deve essere posto a confronto con *ogni* cosa (questo «ogni» è importante nel confronto, ché altrimenti si cresce unilaterali e schematici). È necessario soprattutto sperimentare come l'ideale cristiano e la realtà cristiana abbiano la capacità di farci lavorare anche nel tempo libero, perché l'amore nel giovane si educa proprio in questa possibilità di dedicare ai valori il tempo che sarebbe riservato ai divertimenti.

Assenza di eticità

Abbiamo detto che la seconda grave carenza, almeno a mio parere, nella situazione psicologica dei giovani studenti, è l'assenza di eticità adeguata.

Evidentemente l'impostazione di ciò non è l'insegnamento, ma piuttosto l'imposizione che al richiamo morale danno le famiglie oppure gli ecclesiastici. Vorrei sottolineare soltanto alcune responsabilità in questo campo: l'ambiente è quello che è, e siccome esso penetra ed imbeve quasi per pressione osmotica lo studente, è *solo in una energica adeguatezza di quel richiamo morale che potremo trovar speranza*, è soltanto nella famiglia o nella libera carità degli ecclesiastici che l'influsso della situazione ambientale può essere qualificato, limitato o addirittura cambiato.

Farò solo due osservazioni.

a) Si può parlare di «azione» anche a proposito di animali, di azioni e reazioni anche in campo fisico, ma la parola «gesto» appartiene solo all'uomo. È la moralità che rende gesto ogni azione dell'uomo. Perché? Perché l'uomo, nel suo agire, ha la coscienza del nesso che passa tra l'emergere della sua situazione contingente e l'ordine del tutto. (La parola «tutto» è importante per il singolo gesto come i più minuti elementi della sua concretezza.) La moralità è proprio ciò che stabilisce la posizione di un determinato momento dentro il «tutto» di cui fa parte. Perciò ogni momento dell'uomo, ogni azione dell'uomo, anche il mangiare e il bere, porta su di sé la responsabilità di una testimonianza ad una determinata concezione del tutto.

La prima condizione, quindi, perché una azione possa essere sollecitata in senso morale, è che la prospettiva in nome della quale essa viene compiuta *sia grande come deve essere*, sia totale, sia universale. A mio parere l'ampiezza del motivo del richiamo è l'unica cosa (all'infuori della grazia di Dio) per cui il giovane riesce a muoversi anche nel particolare. Proprio perché è ancora genuino nella corrispondenza alla sua struttura naturale, il giovane si muove, si rassegna al particolare nella misura in cui lo vede in prospettiva universale; il giovane moralizza l'istante solo perché ama il tutto, e il desiderio di infinito gli farà segnare di eternità anche le quattro mura di una cella. La prima cosa che lasciamo troppo mancare è dunque proprio questa prospettiva universale come motivo di qualsiasi richiamo etico; infatti, nell'educazione familiare e nella mentalità corrente, si ricorre più volentieri ad aspetti volontaristici ed analitici; o si pone come fondamento della moralità la dignità personale e il fondamentale motivo che può dettare una genuina e potente adesione della volontà del giovane è il senso missionario di ogni gesto umano.

b) L'appello alla tradizione viene formulato in varia guisa, ma deve essere ben chiaro che *il vero concetto di tradizione è quello di rappresentare un valore universale da riscoprire in nuove esperienze.* Se la storia e l'esistenza hanno un senso che costituisce un valore universale da riscoprire in novità di esperienze, chi deve compiere tale scoperta? L'adulto? il padre? il maestro? No, perché allora sarebbe tradizionalismo. L'esperienza deve farla il giovane, perché questo rappresenta la libertà, – il rischio ed il coraggio della libertà. E questo amore alla libertà fino al disprezzo del rischio non è soltanto una difficoltà enorme da parte del giovane, ma è soprattutto una preoccupazione che l'educazione deve imparare a superare. Lo diceva Cesare Balbo alla fine delle *Speranze d'Italia*: «Solo i codardi chiedono al mattino della battaglia il calcolo delle probabilità; i forti ed i costanti non sogliono chiedere quanto fortemente né quanto a lungo, ma come e dove abbia a combattere. Non hanno bisogno se non di sapere per quale via e per quale scopo, e sperano dopo, e si adoperano, e combattono e soffrono così, fino alla fine della giornata, lasciando a Dio gli adempimenti». A Dio, al mistero dell'Essere, a quella Misura che ci ha fatti, che ci eccede da tutte le parti, e che non è da noi misurabile.

c) Il senso dell'universale genera, inesorabilmente, il senso della comunità. Poche cose sono così ripetute come questa parola e poche cose sono così mal vissute e innanzitutto mal comprese come questa parola. La comunità è l'unità profonda che nasce dalla convivenza. Nella nostra insistenza organizzativa, noi confondiamo le associazioni con la comunità; noi crediamo che si possa fare la comunità come convergenza dal di fuori, come un accordo per fare una data cosa. La comunità, proprio perché è confronto di convivenza, è dimensione interiore, è all'origine dei nostri pensieri e delle nostre azioni; altrimenti non è comunità ma calcolo. La comunità è un modo di concepire le cose, è un modo di affrontare il problema dell'essere, come quello dello studio, della storia, dell'amore. La comunità è insomma un modo con cui io mi accosto a tutte le cose.

d) Mancando il vero concetto o la vera esperienza di comunità, di carità, di convivenza, non si ha più il concetto di *autorità*. L'autorità, oggi, resta fuori dalla coscienza, anche se magari è un limite devotamente accettato.

Sul piano naturale, l'autorità e l'esperienza dell'autorità è l'incontro con una esperienza evidentemente più forte della mia, nella quale io mi ritrovo, io scopro me stesso. Ad esempio, il genitore verso il bambino è una esperienza umana evidentemente più potente. Quando noi incontriamo una esperienza genuinamente umana, e umanamente più potente della nostra, noi per forza ci sentiamo devoti; da qui nasce il senso dell'autorità. L'autorità è allora la prova, la strada per l'universalità. L'autorità è quella ipotesi di lavoro, quel criterio di sperimentazione dei valori assoluti, dei valori universali che la tradizione mi dà; l'autorità è l'espressione della convivenza in cui si origina la mia esistenza. L'autorità in un certo senso è il mio «io» più vero.

Nella vita della Chiesa questo si applica con profonda analogia, anche se l'origine dell'autorità in essa è diversa, essendo un dono di Cristo attraverso la storia.

Conclusione

Riassumerei così i punti lungo i quali si potrebbe muovere una nostra energica azione educativa:

1. Proporre Cristo come *principio risolutore* di ogni cosa.
2. Impegnare i ragazzi in *un fare cristiano*, unico modo per verificare vitalmente quella proposta che è Cristo.
3. Ridestare a prospettive di *responsabilità universali*, perché la prospettiva senza responsabilità è una astrazione.
4. Instillare il profondo senso della *comunità*.

Uno sforzo educativo che rispetti queste direttive, offre immediatamente, per esperienza già fatta, risultati insperati.

È necessario però tener presente sempre che quanto più il male è umano, tanto più la terapia deve essere un tentativo umile, illuminato dalla speranza di un grazioso incontro con una forza e un ordine che non sono in nostro potere.

Le possibilità di ripresa, quindi, saranno date assai più da una penitenza per i nostri errori, che da nostre genialità innovatrici o profetiche scoperte.

Ragione e compagnia

1. Ieri e oggi: l'educazione al rischio dell'uso della libertà

Nella realtà sociale e culturale dell'Italia – e forse anche di altri paesi d'Europa – della fine degli anni '50 e degli anni '60 la capacità esistenziale nei giovani del rischio di realizzare la propria libertà era in parte favorita e in parte ostacolata.

Mi pare che in quel contesto fosse favorita, sotto l'aspetto di volontà critica, una sollecitazione all'uso della ragione. Ma vi mancava vastamente una densità comunitaria che sostenesse tale esigenza critica e costituisse come un ambito di verifica: l'associazionismo infatti non proponeva una compagnia consapevole d'essere estremamente utile nel gioco conoscitivo, ma soltanto come bacino di raccolta e argine per la permanenza di un certo oggetto d'interesse.

Nel contesto dell'epoca attuale le cose mi sembra si siano esattamente invertite. Anche se vi è in genere nel mondo giovanile una maggiore semplicità nella disponibilità della ragione, manca tuttavia, o non sa sostenersi, il gusto della ricerca razionale e la curiosità intellettuale. Mentre, d'altra parte, si inspessisce il valore della compagnia come determinante anche la conoscenza, senza peraltro che si sia giunti ancora ad una scienza definita della presenza del fattore comunitario come elemento inerente all'atto di conoscenza del soggetto.

Una continuità di richiamo

Ne *Il rischio educativo* già si insiste sull'importanza della funzione educatrice, definendola «funzione di coerenza». A questa espressione si affiancano altre che evocano, connessa a tale funzione, una «continuità di richiamo» e un «permanente criterio di giudizio» quale «salvaguardia stabile del nesso... tra i mutevoli atteggiamenti del giovane e il senso ultimo...» (pp. 56-57).

È ovvio ancor oggi che solo una continuità di richiamo possa sperare di creare una forma educativa stabile e quindi feconda. Mi pare però si debba in aggiunta osservare che per ottenere questo esito non si tratti innanzitutto di coerenza etico-pratica dell'educatore, bensì di coerenza logica, o meglio, di coerenza ideale nell'educatore stesso, per cui soprattutto il richiamo di principio dimostra di saper diventare riferimento per tutto lo svolgersi del vivere. Se il maestro richiama il principio teorico tralasciando di renderlo parametro per i giudizi particolari che la vita richiede, anche l'eventuale sua coerenza morale non è letta dai giovani come documentazione della possibilità di applicazione del principio e quindi come verifica della sua validità reale. È una espressa logicità che colpisce la coscienza del giovane fissando i termini ideali dentro la stoffa della sua «ratio».

L'educabilità: una continuità di giovinezza

In un recente dibattito mi è stata rivolta la domanda: «Come continuare ad essere giovani?». La risposta ha attinenza con quello che ne Il rischio educativo – trattando del tempo maturo in cui educatore ed educato vivono una stessa esperienza del mondo lavorando «insieme fianco a fianco, per un destino che tutti riunisce» (p. 76) – ho chiamato «una vita che passando avanza in giovinezza, in educabilità, in "stupore" e commozione di fronte alle cose» (p. 76). Dovendo indicare la formula di quella continuità di giovinezza mi balzano alla mente ancor oggi questi stessi elementi.

La giovinezza è caratterizzata dal sentimento di uno scopo, anche non precisato, ma almeno sentito come futuro fortunato di ciò che si sta vivendo. È questo a impedire la rigidezza che elimina la duttilità, la flessibilità, una certa freschezza nell'uso delle proprie forme. Più precisamente: il residuo senso di mistero, che definisce senza definirlo l'orizzonte e la prospettiva del vivere, che genera una disponibilità – per così dire delle proprie membra – ad adattarsi a spazi nuovi, e lo stupore sempre inerente al senso del mistero fanno scaturire una inesausta sorgente di affettività in grado di muovere tutte le energie secondo una emozione ben nota all'adolescenza e alla prima giovinezza. Soltanto che tale emotività nella vita che passa acquista una densità e una lucidità inimmaginabili prima, le quali rivelano alla personalità la dignità di affinità col divino (mistero) che la connota sostanzialmente. A patto, è naturale, che diventi esercizio – o ascesi – la «memoria» di questo ultimo senso del mistero: prospettiva adeguata in cui va collocato uno scopo degno della vita.

2. Un metodo che inizia ad essere per alcuni una storia

Ciò che anni fa ho scritto sulle linee fondamentali di un metodo educativo in riferimento a giovani dai quattordici ai vent'anni circa, che avevo come diretti interlocutori, potrebbe oggi essere ripetuto a quelle stesse persone, parecchie delle quali mi trovo ancora ad avere come interlocutori, che si trovano ora nel pieno della loro maturità. Questa circostanza mi porta a notare che nelle linee di metodo esposte mi sarebbe difficile discernere quanto sia specificamente riferito all'adolescenza e alla giovinezza e che cosa sia da ritenere come spunto costante di un lavoro che accompagna tutta la vita. Sarei tentato di dire che tra le due cose non c'è nessuna differenza. Se non nella pazienza che occorre per la più acerba e fragile risposta giovanile e per l'umile dignità di tanta risposta adulta. Indubbiamente nella gioventù prevale un carisma, nell'età adulta è già decisiva una storia e una tradizione.

Un augurio e una proposta

A chiusura di una conferenza, non molto tempo fa, mi sono rivolto al pubblico presente – in buona parte giovanile – dicendo: «Vi auguro di non stare mai tranquilli». Vorrei ripetere tale augurio, sottolineandone brevemente il senso.

Coinciderebbe di fatto con una morte dello spirito il venir meno della provocazione che l'ideale per sua natura e funzione opera sul momento presente dell'individuo. Questa provocazione è l'assenza di quella inquietudine che urge l'uomo a penetrare nell'ignoto, così che si può dire che tale ignoto è l'aspetto più affascinante della Grande Presenza.

Il provocante ignoto resta tale anche quando l'uomo, graziato, osa dare del tu ad Esso.

Il nostro metodo educativo è nato all'interno dell'esperienza di un movimento ecclesiale. Vorrei far notare in che senso e per quali aspetti esso può venire considerato come una proposta di metodo anche per chi non solo di tale movimento non facesse parte, ma per chi aderisse ad altre espressioni della vita cristiana, o per chi, cristiano, non avesse alcun tipo di esperienza comunitaria, o addirittura per chi non avesse una visione cristiana della vita.

Credo che i fattori educativi indicati dai termini: ragione, tradizione, verifica, presenza autorevole o provocante, costituiscano termini rivelativi illuminanti i passi di qualsiasi uomo che sia minimamente «morale», che riconosca cioè alla propria vita un destino ultimo cui positivamente si riferisca tutta l'esistenza, cui ogni passo – se ben osservato – è sproporzionato, e che, d'altra parte, in qualche modo «salvi» l'esistenza piena di bellezza e di miserabilità.

Libertà di educazione

Più che la ricerca di una fondazione a tutto il problema vorrei dare all'espressione «libertà di educazione» una testimonianza in base ad una esperienza di vita fatta, ma soprattutto in base alle parole che il Santo Padre ha molto usate di fronte a questo problema capitale. La parola «libertà di educazione» ha un risvolto esterno, esteriore, come dice il Papa: «Senza libertà non c'è cultura, non c'è possibilità di sviluppo culturale». D'altra parte il termine «libertà di educazione» indica qualche cosa di inerente al processo educativo e in questo senso la parola «rischio educativo», a mio avviso, è giustamente usata, perché il processo pedagogico è un rischio. Il processo formativo è un rischio proprio perché gioca tutto e sulla libertà di chi educa e sulla libertà di chi viene educato. È un gioco in cui non si può barare. Non può barare chi educa, perché se uno tenta di barare lo si capisce subito: chi deve essere educato non risponde. Ma è un gioco dove non può barare neppure chi deve essere educato, perché se non si impegna nella verifica, nella considerazione seria di ciò che gli viene proposto, la posizione che assumerà, se sarà positiva, sarà conformista, non sarà mai una convinzione, se sarà negativa, sarà sleale, sleale per tutta la vita.

Ma per spiegare queste affermazioni mi immergo in uno sviluppo che vuole affermare innanzitutto il nesso fra formazione e cultura; ma soprattutto vuole insistere sul valore della *tradizione*, sull'*autorità* come fattore comunicativo della tradizione, sul gioco della *verifica* come essenziale perché la tradizione passi nel cuore dell'educando e si assimili nella sua *personalità*; e quindi ultimamente vuole insistere sulla *libertà dell'educatore* che è giocata come sincerità di fronte a ciò che egli trasmette e sulla *libertà dell'educato* come sincerità di fronte a ciò che gli è trasmesso. La preoccupazione educativa è certamente il più grande segno di volontà, di dono e di passione amorosa per l'uomo. Il Papa ha detto agli uomini di cultura: «L'educazione è la matrice della cultura perché un'educazione deve tendere a realizzare nella sua piena dimensione la nostra umanità per trasformare il mondo». Per trasformare il mondo occorre prima realizzare nella sua piena dimensione la nostra umanità. Dice testualmente in quel discorso il Papa: «La vera cultura è umanizzazione, mentre la non cultura e le false culture sono disumanizzanti». Per questo, nella scelta della cultura, l'uomo gioca il suo destino. «La cultura deve coltivare l'uomo, ogni uomo e ogni uomo nella estensione di un umanesimo integrale e plenario, [secondo la totalità dei fattori dell'umanità, come disse Paolo VI], nel quale umanesimo tutto l'uomo e tutti gli uomini vengono promossi nella pienezza di ogni dimensione umana. La cultura ha il fine essenziale di promuovere l'essere dell'uomo e di procurargli i beni necessari allo sviluppo del suo essere intellettuale e sociale». Ma tutto questo processo non può avvenire se non nella libertà. «L'autentica cultura *animi* è una cultura della libertà, che sgorga dalla profondità dello spirito, dalla lucidità del pensiero e dal generoso disinteresse dell'amore. Fuori della libertà non può esserci cultura. La vera cultura di un popolo, la sua piena umanizzazione, non possono svilupparsi in un regime di costrizione». Il Papa insiste su questo punto non solo perché la sua esperienza ha dovuto provare amaramente la verità di questa osservazione, ma perché è vero, per la maggior parte del mondo di oggi, che tutto il processo culturale è schiavizzato dal potere, è senza libertà. Pensate che Paolo VI ha osato parlare in un discorso, poi da nessuno più citato, di «terrorismo culturale» esistente non in Tanganica, poniamo, ma in Italia.

«La cultura – dice la *Gaudium et Spes* – scaturendo dalla natura ragionevole e sociale dell'uomo, ha un incessante bisogno della giusta libertà per svilupparsi, e le si deve riconoscere la legittima possibilità di esercizio autonomo secondo i propri principi».

Si parla di pluralismo tanto quanto non lo si tollera. La cultura che nasce libera deve diffondersi in un regime di libertà; l'uomo colto deve proporre la sua cultura, ma non la può imporre. Continua il Papa: «La cultura *animi* [vera] deve promuovere insieme l'istruzione e l'educazione, deve istruire l'uomo nella conoscenza della realtà, ma deve insieme educare l'uomo a essere uomo nell'integralità del suo essere e dei suoi rapporti. Ora, l'uomo non

può essere pienamente se stesso, non può realizzare totalmente la sua
umanità, se non riconosce e non vive la trascendenza del suo proprio
essere rispetto al mondo, [cioè] il suo rapporto con Dio». Non è vera
educazione quella che non sviluppi questa dimensione ultima del-
l'uomo, il suo rapporto col destino, perciò il suo rapporto con Dio.
«All'elevazione dell'uomo appartiene non soltanto la promozione
della sua umanità, ma anche l'apertura della sua umanità a Dio».

Anzi, soltanto dopo che ci è stata data tale formazione interna
con l'apertura verso il trascendente deve essere promossa la trasformazione del mondo. Trasformare il mondo vuol dire per il cristiano, aperto verso il Mistero e formato nello spirito, impegnarsi
responsabilmente per elevare ed arricchire del suo stesso dono tutte
le realtà e le comunità con cui viene a contatto: la famiglia, l'ambiente degli amici, l'ambiente della scuola, il luogo di lavoro, il
mondo della cultura, la vita sociale, la vita nazionale.

L'educazione è l'agente importante che crea cultura; questa cultura, che può nascere e svilupparsi solo nella libertà, deve inve-
stire la totalità dell'uomo e, se l'uomo è rapporto col suo destino,
non può ignorare questo fattore, che anzi ne costituisce la spinta
suprema, lo sprone supremo. Solo dopo che questa azione totaliz-
zànte di valorizzazione dell'uomo come tale è entrata in azione,
uno comincia a pensare anche alla trasformazione del mondo e,
per un cristiano, che ha il senso di Dio, la trasformazione del mondo
vuol dire la comunicazione a tutti gli ambienti, alla famiglia, alla
scuola, all'università, al mondo del lavoro, al mondo sociale di questa
esperienza profonda di rapporto col Destino.

Una vera educazione produce una missione, un impeto, una
volontà missionaria, altrimenti non è educazione. Dico sempre ai
ragazzi che c'è un modo molto semplice di capire l'errore: l'errore,
tanto più lo si urge alla sua logica, tanto più è costretto a dimenticare o a rinnegare qualcosa. La caratteristica della verità, come del
resto dell'esigenza razionale, è che sia investita la totalità degli elementi, la totalità dei fattori. Chi pretende di dimenticarne o rin-
negarne qualcuno è già nell'errore.

Ma se questo processo educativo, da cui dipende lo sviluppo
culturale, deve avere degli operatori, così che un ragazzo non entri
nel mondo come «tabula rasa», come se fosse un troglodita, occorre
individuare i fattori che aiutino questo sviluppo. Come si può offrire
aiuto se non per qualcosa che già c'è in noi? Come fa uno più grande
ad aiutare uno più piccolo se non per qualche cosa che già c'è in

lui? Il presente trae tutta la sua importanza da ciò che lo ha preceduto, perché l'intensità e la ricchezza del presente è il passato.

Si chiama *tradizione* questa ricchezza complessiva del passato, non possiamo offrire aiuto se non per un passato che in noi vive come presente; non possiamo recare aiuto se non per una tradizione, altrimenti sollecitiamo una reazione, ma non comunichiamo nulla. «La tradizione – dice il Papa – è la condizione del rinnovamento» (lo scriveva quando era ancora cardinale a Varsavia, commentando il Concilio). Infatti il presente agisce usando quello che ha ricevuto, usando del passato fino all'istante precedente.

È solo usando il passato, l'energia e i contenuti che il passato mi dà, che io posso cambiare anche i termini dell'eredità del passato, è soltanto usandolo che lo posso rinnovare. «La tradizione è la condizione del rinnovamento». Il primo fattore costruttivo di una cultura, e quindi il primo fattore costitutivo di una educazione, è l'abbraccio di una tradizione, la personalizzazione di una tradizione e la comunicazione di essa a chi deve essere educato.

È la tradizione consapevolmente abbracciata che offre una totalità di sguardo sulla realtà, offre un'ipotesi di significato, un'immagine del destino. La tradizione infatti è come un'ipotesi di lavoro con cui la natura butta l'uomo nel paragone con tutte le cose. Ci butta nel cantiere della vita e della storia con tutta una risorsa che è come il soprassalto del passato, per cui noi guardiamo in un certo modo il tramonto, il cielo e la terra, la famiglia, la scuola e il lavoro. Senza questa dote la natura non mette al mondo nessuno.

Comprendiamo quindi come la prima giustizia verso la dignità dell'educazione e quindi verso la dignità di una cultura sia la libertà di valorizzare la propria tradizione. Nulla è più ignobile di quel «terrorismo culturale» cui abbiamo accennato: l'impedimento in tanti modi esercitato, per esempio con la scuola o con la televisione, a poter prendere oggettivamente in considerazione la propria tradizione.

Il punto naturale di comunicazione della tradizione al nuovo essere, all'essere che cresce, è la famiglia. La famiglia è dunque il primo esempio di quello che noi chiamiamo *autorità*. L'autorità è il luogo naturale dove la proposta del passato si pone di fronte alla coscienza dell'essere umano. Il passato diventa proposta all'uomo innanzitutto in quel «luogo naturale» che è la famiglia. Ma quando la famiglia dimentica gli aspetti più acuti delle necessità umane, un altro luogo naturale, dove la tradizione si comunica, può essere l'incontro con una persona, una personalità, o un ambiente, dove la tradizione viene sentita, vissuta, affrontata e comunicata in un modo intelligente, vivo, consapevole, ragionato. Senza autorità non c'è proposta, la tradizione non diventa proposta all'individuo se non c'è questo strumento, questo luogo naturale. Senza autorità non c'è proposta e senza proposta non c'è confronto. Senza autorità la gente cresce alla mercé del potere, di chi la manipola, di chi ha più forza per manipolarla. Per questo tutta la cultura di un'epoca decisamente dispotica come la nostra odia il concetto di autorità e lo fa odiare, come odia profondamente il concetto di *padre* e lo fa odiare. Senza autorità non c'è proposta, senza proposta non c'è confronto, ma solo disordinata reazione, una disordinata reazione in cui ha buon gioco il potere; qualcosa cioè di estrinseco e di strumentalizzatore dell'energia viva dell'essere umano.

Ma non è proposta se non è comunicata in modo tale che il giovane sia istruito circa il come la proposta stessa sia capace di affrontare tutti i problemi. In altre parole: perché il passato, la ricchezza della tradizione, diventi proposta al presente, bisogna che questa proposta sia comunicata in modo tale che il giovane, l'uomo da educare, possa utilizzarla per vedere se essa è capace di affrontare tutti i problemi, e possa diventare sua esperienza.

L'esperienza è l'impatto della realtà con il nostro soggetto, la nostra persona; l'impatto con la realtà, toccando la nostra persona, la provoca. È il concetto cristiano di «vocazione». La realtà provoca l'uomo facendo insorgere i problemi: bisogna allora che il giovane abbia la tradizione non solo come dettato, ma sia anche aiutato a capire in che modo quel dettato affronti la sua esperienza, cioè possa risolvere tutti i suoi problemi.

Allora è giusta la definizione che ho letto trent'anni fa in un autore austriaco, Jungmann, la più bella definizione di educazione che abbia mai letto: «L'educazione è introduzione alla realtà totale». L'educazione cioè è questa proposta che per natura ti viene dal passato attraverso le mani dell'autorità (padre, famiglia, incontro fortunato), la quale ti aiuta a capire in che modo essa corrisponde alla tua esperienza, cioè alla totalità dei tuoi problemi; tanto più uno è vivo tanto più tutto è problema.

Senza questa possibilità di esemplificazione o, con un termine a noi molto caro, di *verifica* (trent'anni fa non c'erano molti che

lo usavano eccetto i professori positivisti che s'arrabbiavano perché noi lo usavamo; mi riferisco a dibattiti fatti nella nostra prima
sede a Milano), cioè il confronto fra ciò che ci è dato dalla tradizione con gli insorgenti problemi che l'esperienza produce, non
c'è educazione.

Non c'è educazione soltanto per dettato.

Come fa una famiglia ad operare tutto questo immenso lavoro
in un momento dell'evoluzione della civiltà così scaltrito e così
vasto? Il grande strumento collaboratore, che la società ha creato
e reso stabile, è la scuola, è la realtà della scuola.

Dice il Papa nel discorso all'UNESCO: «Mi sia permesso di riven-
dicare in questo luogo per le famiglie cattoliche il diritto che appartiene a tutte le famiglie di educare i loro figli nelle scuole che corrispondono alla loro visione del mondo». Un uomo e una donna
non sono padre e madre perché danno al figlio il latte prima e il
risotto dopo, ma perché danno se stessi, con la loro visione del
mondo. Continua il Papa: «... in particolare [di rivendicare] lo
stretto diritto di genitori credenti a non vedere i loro figli sotto-
posti, nelle scuole, a programmi ispirati all'ateismo [come vediamo
nelle materne in Italia oggi]. Si tratta in effetti di diritti fondamentali dell'uomo e della famiglia».

Il Papa poi sviluppa ulteriormente questi concetti: la scuola è
lo strumento della famiglia, non solo per completare la comunicazione della tradizione, ma anche per realizzare la verifica, perché
senza verifica un giovane non diventa grande. Io spiego sempre
ai ragazzi la cosa ricordando una vecchia favola di Esopo la quale
diceva che l'uomo porta due bisacce sulle spalle, una davanti con
tutti i difetti degli altri e una dietro con tutti i suoi; ma la favola
è un po' stravolta e dice: poniamo che ci sia una sola bisaccia dietro; in questa bisaccia i genitori, le zie, le nonne, i parroci, gli amici,
eccetera, mettono dentro quello che in coscienza loro credono
meglio e il ragazzo cresce dicendo: «me l'ha detto la signora maestra», «me l'ha detto il papà», «me l'ha detto la mamma», «me
l'ha detto la zia»; questo è giusto o no?

Caspita! È naturale. L'impossibilità a fare diversamente l'ho già
denunciata prima. Ma come è naturale che questa tradizione vada
fino a nove, dieci, undici anni, altrettanto naturale è che a quel-
l'età la natura spinga il ragazzo ad afferrare la bisaccia che ha dietro e a buttarsela davanti. Questo è espresso da una parola, «problema», che in greco deriva da προ-βάλλω (mettere davanti). La

tradizione diventa problema. Il ragazzo, avendo la bisaccia davanti, comincia allora a rovistarci dentro, cioè «critica» o «mette in crisi» ciò che vi trova; il che non ha valore negativo o dubitativo, ma semplicemente significa «discriminare»: uno guarda dentro per vedere se è giusto o no. Come fa a capire se è giusto o no? Senza che se ne accorga paragona quel che gli hanno detto con qualche cosa che ha dentro, la Bibbia direbbe il suo «cuore». Ma purtroppo questo cuore è ormai già mascherato da altri tipi di influsso. Questo paragone, l'aiuto a questo paragone, a questa verifica del passato, in modo tale da scoprire in noi la capacità o meno d'affrontare tutti i problemi insorgenti, è la cosa capitale per l'educazione. È quasi ironico dare qualcosa ai ragazzi senza aiutarli a capire il valore di quello che si dà loro.

Ora, se la scuola è il grande strumento di questa verifica, una scuola cattolica deve includere la volontà di formare ad una visione cristiana del mondo, perciò deve includere la volontà di questa verifica. Il processo per cui un'ipotesi di lavoro prova la sua verità attraverso quell'applicazione ai fenomeni da spiegare, cioè ai problemi da risolvere, che si chiama verifica, ci fa dire la frase in altri termini: una scuola cattolica è un ambito di verifica del valore della proposta della tradizione cristiana. È un aiuto, un prendere per mano il giovane per introdurlo alla verità del suggerimento umano che la tradizione cristiana dimostra di avere di fronte agli emergenti problemi. Occorre non semplicemente «dire», ma aiutare a capire la verità di quel che si dice e *la verità è ciò che corrisponde alle esigenze originali* dell'uomo in tutti i problemi che insorgono.

Ecco allora la grande questione cui il Papa accenna in un discorso fatto all'UCIIM il 16.3.1981: «La Chiesa, la quale in campo scolastico ha un'esperienza plurisecolare, afferma che tra gli strumenti educativi una importanza particolare riveste la scuola, che da una parte contribuisce a far maturare le facoltà intellettuali, e dall'altra sviluppa la capacità di giudizio, mette l'alunno a contatto del patrimonio culturale delle passate e delle presenti generazioni, promuove il senso dei valori, prepara alla vita professionale, genera un rapporto di amicizia tra alunni di indole e condizioni diverse. La scuola è quindi, secondo il dettato conciliare, come un "centro" alla cui attività e al cui progresso devono insieme contribuire è partecipare le famiglie, gli insegnanti, i vari tipi di associazione a finalità culturali, civiche e religiose, la società civile e tutta la comunità umana (cfr. *Gravissimum educationis*, 5). E voi, carissimi Docenti, in quel centro privilegiato quale è la scuola, avete un compito estremamente grave e delicato, una "meravigliosa vocazione", come la definisce il Concilio: quella di comunicare innanzitutto agli alunni, che con voi sono i veri protagonisti della scuola, quel complesso di conoscenze che voi avete acquisito in tanti anni di studio e di riflessione. Ma tale "cultura" non può ridursi ad un arido elenco di nozioni, ma deve divenire una forma di conoscenza, [un principio a cui tutto riferire], una capacità di giudicare la realtà e la storia, una "sapienza" cioè capace di mettere il Docente e il Discepolo nella possibilità di formare "giudizi di valore" sugli avvenimenti – religiosi, storici, sociali, economici, artistici – del passato e del presente. In questo complesso e globale giudizio di valore il Docente, che è anche credente non può "mettere tra parentesi" la sua fede, come se fosse un elemento inutile o addirittura alienante nel rapporto delicato e privilegiato con i suoi discepoli, ma, nel massimo rispetto della loro libertà e della loro personalità, deve diventare autentico "educatore", formatore di caratteri, di coscienze e di anime, in una continua testimonianza di limpida coerenza tra la sua fede e la sua vita professionale [...]. Sappiate cioè educare e formare i giovani contemporanei alla intelligenza e alla ragione, quella intelligenza e quella ragione aperte ai valori della trascendenza [cioè del mistero di Dio] che la Chiesa, contro ogni risorgente forma di agnosticismo o di fideismo [agnosticismo: niente è chiaro e non si sa niente; fideismo: credere senza avere la ragione] ha sempre difeso e sostenuto con una grande fiducia nell'uomo, nell'uomo completo, cioè nella pienezza delle sue dimensioni in cui convergono e si fondono scienza e creatività, analisi e fantasia, tecnica e contemplazione, educazione morale e preparazione professionale, impegno sociale e politico ed apertura religiosa; è questo l'uomo, che voi dovete formare, educare e preparare nella scuola, la quale deve essere concepita e realizzata non soltanto come semplice strumento per la formazione di tecnici e dei lavoratori che rispondono alle esigenze produttive della società del domani, bensì come centro privilegiato, vivo e vitale, in cui il giovane sia formato a quell'"umanesimo plenario", [totale] di cui tante volte ha parlato Paolo VI».

Come la scuola sta alla famiglia, così l'insegnante sta al genitore. Per questo l'ultimo fattore che noi abbiamo sempre sottolineato nella nostra descrizione del fenomeno dell'educazione è la *libertà*. Perché la risposta dell'educatore, del genitore, dell'insegnante per eccellenza che è il prete, la risposta al dono che dal passato ha ereditato, è la libertà; ed è la propria libertà che l'educatore propone all'educando, cioè è il proprio impegno con l'essere, perché la libertà è impegno con l'essere e per questo diventa proposta di essere.

Condurre l'educando dentro l'ipotesi di lavoro applicata ad un problema è una questione delicata, ma è un inevitabile dovere; questione delicata, perché è «proposta». Certamente tra i dolori più lancinanti che un uomo padre o una donna madre possono provare vi sono quelli che provengono dalla lealtà e dal rispetto che essi debbono mantenere verso la coscienza del loro figlio, senza mai abbandonarlo e sempre permettendo che il suo passo sia *suo*, che egli sappia crescere, affermarsi, secondo la sua coscienza. Ma la questione fondamentale è che padre e madre, insegnante o prete, siano innanzitutto leali con la tradizione che devono passare al figlio o all'educando. Allora il dolore proprio dell'attività educativa – che non può pretendere, non può essere dispotica, non può esigere a tutti i costi una partecipazione ai giudizi di valore e alle soluzioni – man mano che il giovane cresce, affinerà anche i propri rimorsi, o sarà sempre utilmente un richiamo ad approfondire allora quello che non si è approfondito prima, per diventare sempre più capaci di persuasività, perché la persuasività è la strada della ragione e della coscienza. Comunque sia, il dolore che un genitore o un educatore deve vivere, nel proporre con un rispetto che non costringa mai, è la partecipazione più grande al dolore di Dio verso di noi, perché Dio è morto per proporsi a noi. Il rapporto tra Dio e l'uomo è un immenso drammatico rischio educativo.

Io ho voluto sottolineare anzitutto che il fenomeno educativo fa parte del più grande fenomeno che è il fenomeno culturale, anzi, del fenomeno culturale è il grande strumento. Ma come entrano in gioco gli attori? Indubbiamente c'è l'attore che entra in gioco come bambino, come giovane, come essere nuovo; ma se fosse tutto qui si sarebbe sempre e totalmente dinanzi a una «tabula rasa». Invece i secoli non passano invano e lo strumento attivo, suggestivo, è l'adulto che raccoglie una tradizione che lo trapassa; perciò il primo fattore fondamentale dell'educazione è la lealtà dell'impegno con una tradizione. Questo esige una libertà di valorizzazione della tradizione, che è l'aspetto più acuto della libertà culturale. Il luogo naturale dove tutto questo gioco avviene è la famiglia, o un fortunato incontro che ne supplisca le deficienze.

Ma la famiglia o un qualsiasi incontro non possono affrontare la questione nella sua totalità; la questione nella sua totalità è indicata infatti nella parola «verifica». La tradizione deve essere comunicata in modo tale che essa risponda alle esigenze del giovane, alle esigenze della sua esperienza che si svolge in tutti i problemi emergenti. Questa è una lunga strada. La scuola ne è il più grande strumento. Il dovere più grande che hanno i genitori è proprio quello di curare questo strumento e di esigere che esso sia secondo l'ispirazione del loro cuore, secondo la visione del mondo che essi hanno. In particolare, l'osservazione è rivolta ai genitori cristiani. Dicevo nei primi anni in cui insegnavo religione: quando sarete grandi e sarete ministri liberali del partito d'azione, mandateci in giro nudi, noi preti, ma lasciateci la libertà di educazione. Noi cristiani abbiamo fatto tutto il contrario, abbiamo cercato di avere tutto, ma non la libertà di educazione. Certo si tratta di libertà. Questa è la sua modalità ultima, la sua ultima arma: libertà di rispettare nel giovane una coscienza di fronte a una proposta. La tradizione è la grande ipotesi di lavoro, la grande proposta che viene dal passato e si pone davanti agli occhi e al cuore della nuova generazione. Il vero problema della libertà sta in noi educatori, perché attraverso noi il passato deve compiere il suo passo successivo. La lealtà verso il passato, da parte nostra, è l'impegno verso la proposta che a noi è stata fatta.

L'educazione come comunicazione di sé

C'è un brano nel documento che è stato steso per questo seminario, che centra un po' la paradossalità della posizione che occupiamo, meglio che occupate: io sono qui molto di più come uno che vuole capire e intende imparare le conseguenze di qualcosa che ha intuito quando ero più giovane.

Dunque, questa frase dice: «L'educazione non è questione di strumenti che la comunità si dà, ma è questione di verità di vita dell'individuo che ha la funzione dell'educatore». Se quello che dico non corrisponde alla verità delle cose, spero che le domande aiuteranno a correggerlo, ma mi pare che quella citata sia la frase più paradossale rispetto alla mentalità corrente. «L'educazione non è questione di strumenti che la comunità si dà» vuol dire infatti che l'educazione non si può scaricare.

Se al posto della parola educazione mettessimo la parola «vita», la frase suonerebbe: «La vita non è questione di strumenti che l'uomo e la donna si danno, ma è questione di verità dell'individuo che ha la funzione dell'educatore», vale a dire: questione di presenza di vita in chi deve educare.

Mi ricordo che da giovane ho letto quasi tutti i libri di Brousier che, nel suo volume intitolato *Il senso della morte*, conclude affermando: «Solo la vita comunica la vita».

Se si paragona l'educazione alla vita, se ne facciamo un sinonimo di vita – e infatti l'educazione è la vita che si sviluppa – allora è proprio vero che solo la vita può comunicare la vita. Così, resta anche già indicato il quadro dei fattori che possono essere individuati come breve sviluppo del tema in programma, cioè «L'educazione come comunicazione di sé».

In questo titolo la prima parola da sottolineare è quella finale: «sé». Si tratta dell'io umano, cioè di quella sete di infinito, come dice *Il senso religioso*, che ha un inevitabile impatto con la realtà, nel senso che è toccata, è provocata dalla banalità della circostanza. Perciò l'attenzione alla circostanza diventa fondamentale, come è fondamentale la sete del destino, il rapporto con l'ideale.

Qui nasce l'idea di verifica: attraverso il suggerimento delle circostanze, il tentativo di creare un passo verso il proprio destino trova il paragone che lo giustifica oppure lo chiama a correzione, non che lo condanna: perché «il Figlio dell'Uomo non è venuto per condannare, ma per salvare il mondo». Perciò il concetto di verifica è uno dei più importanti, a mio avviso, nel vocabolario cristiano, perché, senza evitare tutta la contingenza, tutta l'approssimazione, la possibilità di errore che l'impatto con le circostanze comporta, ha come movente, segreto o palese, esplodente o appena accennato, il suo scopo, che è quello di tirare l'individuo più avanti nel cammino verso il suo destino.

L'io, dunque, come sete di infinito che, attraverso l'impatto con le circostanze, precisa e verifica il suo cammino, e che, di fronte alla circostanza più irriducibile che si possa concepire, la più nobile, la più divina in cui gli è dato imbattersi – vale a dire: davanti ad un altro sé, ad un altro uomo – è eccitato ad amarne il destino così come ama il proprio destino, ad aiutarlo a ricercare il suo destino così come lui stesso ricerca il proprio destino. Perciò gli comunica la coscienza che ha della sua nobiltà ultima e così pure la coscienza di come drammatico sia il tentativo che il suo cammino rappresenta. A questo altro da sé, o altro sé, comunica l'una e l'altra cosa.

Dunque: contagiare l'altro di sé, sia nella formulazione profonda del sentimento che si ha del proprio volto ultimo, sia trascinandolo dentro l'avventura di quel tentativo che si chiama verifica e che costituisce l'esistenza.

Contagiare l'altro non è possibile, se non nella libertà, nel rispetto della libertà dell'altro, e tale rispetto implica almeno due fattori fondamentali.

Anzitutto che la libertà dell'altro è sete di verità, perché la libertà è per prima cosa sete di verità e nasce come *passione di ragione*.

In secondo luogo, la libertà dell'altro implica veramente il mistero, il mistero di contraddizione che noi non possiamo riassorbire. Per questo siamo grati a Gesù Cristo che nella sua Croce lo ha riassorbito, perdonando i nostri peccati.

La libertà dell'altro può contraddire quello che egli vede come giusto: *video meliora proboque, deteriora sequor*, perché *trahit invitum nova voluntas, aliudque cupido mens aliud suadet*, come diceva Ovidio. C'è una contraddizione per cui uno vede e capisce che una cosa è bene ma non la fa, non la vuole, reagisce in senso contrario.

Ho elencato quelli che secondo me sono i fattori fondamentali del titolo dato al programma «L'educazione come comunicazione di sé». Ma ho tralasciato una parola, che ho descritto senza dirla, la grande parola che permette una dizione come quella del titolo, la grande parola per cui non sono solo nel mondo, per cui qualsiasi uomo che incontro diventa parte di me: è la parola *incontro*.

L'educazione come comunicazione di sé è un incontro, è l'esito di un incontro. Sono cose che riemergeranno nel dialogo, perché non intendevo svolgere un tema, ma solo rivelare quali fossero i punti e le categorie per me più interessanti affinché nel dialogo non sia totale sorpresa la mia risposta.

In parte don Giussani ha già risposto alla domanda che volevo fare, tuttavia la ripropongo ugualmente, perché essa può, almeno in termini storici, suggerire ulteriori approfondimenti.

Rileggendo «Viterbo '77», sono rimasto estremamente colpito da come il discorso fatto in quell'occasione, proprio perché toccava la persona, toccasse anche me, che pure non faccio né l'educatore di professione né l'insegnante, come qualcosa di estremamente pertinente.

Parlando con alcuni amici, si è constatato anche che l'intervento fatto a Viterbo ha dato frutti, ma forse non quanti quello stesso intervento preconizzava. La ripresa un po' stentata all'invito fatto in quella occasione e ripetuto in questi ultimi tredici anni non dipende forse dall'aver messo a tema de «L'educazione come comunicazione di sé» una certa qual specificità dell'insegnante come educatore e non la persona stessa?

Mi pare che la domanda costituisca una sfida fondamentale ad una problematica sull'educazione. Ma per questo ho citato la frase: «L'educazione non è questione di strumenti...».

Se non è questione di strumenti, non è questione neanche del modo di gestire o di fare l'attore da parte dell'individuo che si chiama insegnante. L'insegnante non è un attore, non è un funambolo, non è uno strumento, sia pure vivo, in azione: è una persona.

La sorgente dell'educazione, la sorgente di una comunicazione di vita, la comunicazione di un aiuto a sviluppare la vita, viene dalla mia vita, non dal mio essere insegnante.

Se io insegno greco, ma non so il greco e non preparo bene le lezioni, smonto qualcosa che non dà più i frutti che dovrebbe dare. Ma essendo insegnante di greco, sono educatore se comunico qualcosa che appartiene a quell'orizzonte che si chiama con la parola più semplice che si possa usare, «io». Sono educatore, se comunico me stesso.

Per questo anche uno che non è insegnante, leggendo «Viterbo», leggendo l'espressione di una simile posizione, un simile richiamo, si sente implicato. Anche perché non esiste un uomo, che sia uomo, che non abbia responsabilità della vita dell'altro, che non abbia responsabilità di aiutare l'altro a camminare verso il suo destino. A ognuno, dice la Bibbia, Dio ha dato la responsabilità del proprio fratello.

Se non parte da questo livello, l'educazione è tutta una falsità. Diciamo che è una politica, una politica di dominio, anche quando questa politica non ha l'Italia o l'Est europeo come spazio, ma ha soltanto la propria classe di 24 alunni.

Se non è volontà di comunicazione, di aiuto a vivere, a camminare verso il proprio destino, è l'affermarsi di un grande pretesto per poter sbarcare il lunario, per poter sfogare il proprio temperamento o per dominare l'altro. È una realtà politica, insomma.

Solo quanto detto prima, a mio avviso, impedisce all'insegnamento di esser politico, nel senso peggiore del termine, quello di norma corrente. E può diventare politica, cioè violenza, il decidere come gli alunni debbono stare in classe, come debbono usare il tempo a casa, dar loro 54 capitoli da tradurre, perché così si crede di farli lavorare di più, di far loro imparare di più, che è una delle più solenni grossolanità in cui può cadere l'insegnante: scaricare la propria responsabilità di educatore sul far lavorare come bestie gli alunni.

Comunque il punto su cui mi ha provocato la domanda mi pare ben preciso: parlando di un insegnante, si parla di un essere umano che ama l'altro essere umano, come una madre e un padre amano il figlio, come un amico ama l'amico, come un compagno di cammino ama il compagno di cammino, di un cammino pericoloso: perciò ama molto, come quando si è in cordata insieme e si è legatissimi, non solo con la corda.

Questa risposta, decisiva e provocante per l'immagine che solitamente si ha dell'educazione come legata ad una tecnologia, sostanzialmente ci fa ricordare che il diritto all'educazione nasce dalla vita e dalla comunicazione della vita: è la comunicazione della cultura, la quale può passare nell'altro anche se non ha particolari strumenti. Le generazioni precedenti comunicavano la propria cultura, iniziavano l'educazione con strumenti tecnici quasi inesistenti, mentre la nostra società ha strumenti comunicativi altamente sofisticati, ma non ha più una cultura.

La nostra società moltiplica gli strumenti sofisticati per poter mascherare la sua volontà di dominio totale sull'individuo.

Infatti la tirannia del passato era un modo patologico di esprimere una concezione del potere che era in dialettica con il trascendente. Invece il totalitarismo è l'affermazione che la politica è la realtà. Può anche essere molto democratico o demagogico, ma lo stato totalitario si pretende la fonte della verità.

Il totalitarismo identifica l'essere con se stesso, con il proprio criterio, perciò chi non aderisce al suo contenuto è come un pazzo. È esattamente il comportamento che ha usato l'URSS per settant'anni. Ho citato ne *Il senso religioso*: «Noi dobbiamo tirarti via le tue idee religiose perché sono una forma di pazzia». Infatti non corrispondevano alla mentalità comune, a quello che il totalitarismo di stato aveva fissato come verità.

Il totalitarismo fissa che cosa è la verità. Mentre il dispotismo è un abuso di potere, è rubare un diritto che hanno altri, è entrare nel campo dei diritti altrui, il totalitarismo identifica la verità con il contenuto che esso stesso le dà. La verità si identifica con il contenuto sostenuto da chiunque abbia il potere, e se solo dopo una settimana altri vanno al potere, allora anche la verità sarà un'altra.

Comunque la prima domanda fatta è realmente la domanda capitale: mio padre e mia madre non avevano molte tecniche, molti strumenti tecnici, ma tutta la mia educazione, al novantanove per cento, e se possibile al cento per cento, l'ho avuta dal modo con cui essi mi hanno amato. La cosa più grande che ho avuto nella vita è che mio padre e mia madre mi hanno educato perché mi hanno voluto bene.

Voler bene significa aver coscienza che la vita ha un destino, che la vita dell'altro ha un destino, lo stesso mio destino, e che allora siamo compagni di cammino.

Aiutiamoci, correggiamoci, aiutiamoci ad imparare insieme, questo è il sentimento che deve governare anche l'ora di scuola di chi fa matematica. Non è che c'entri con la matematica, ma c'entra con il mio rapporto con gli alunni, e la matematica c'entra con il mio rapporto con gli alunni.

La mia domanda si inserisce in quanto si sta dicendo, stabilito che l'educazione non è questione di strumenti, non è questione di far l'attore, non è questione di potere, occorre dare alla definizione dell'educazione come comunicazione di sé questa specificazione: che la comunicazione riguarda il proprio modo di rapportarsi con il reale, perché l'uomo è «una modalità vivente di rapporto con il reale». La parola «modo», tra l'altro, ricorre spessissimo negli scritti di don Giussani, come sfumatura decisiva. Ora, questa modalità, che stabilisce una posizione di sé dentro la vita e quindi dentro l'insegnamento, è qualcosa che si impara? E come si impara? Si può insegnare? Che cosa determina questa modalità, in quanto modo di rapportarsi con il reale? Questo punto è veramente decisivo, perché fa cadere tutte le pretese e presunzioni di competenza o di tecnica: infatti un certo tipo di preparazione non surroga mai la modalità di colui che educa.

Un «certo tipo di preparazione» non è educativo per se stesso. Non c'è nessun tipo di preparazione che sia educativo per se stesso. Ciò che educa è l'atteggiamento in cui un insegnante dimostra la sua «modalità vivente di rapporto con il reale». L'osservazione ora fatta si spiega come la risultante di due coordinate.

La *prima coordinata* riguarda direttamente l'insegnante. Qualunque cosa egli spieghi, il modo con cui affronta l'oggetto e con cui comunica questo rapporto riflette – tanto più quanto più è maturo – l'amore che ha per il vero, non come realtà astratta, non come valore astratto, ma come contenuto del proprio destino, come contenuto dell'orizzonte per cui la sua vita è fatta, come contenuto della felicità per cui e verso cui è in cammino, perché il vero coincide con l'essere.

Allora, la modalità religiosa con cui uno vive incide sul modo con cui si impatta con il reale di cui deve trattare, di cui tratta: si impatta con lealtà, con passione e con attenzione.

Questa è la prima coordinata. Il gesto che uno fa è inscritto inevitabilmente dentro un orizzonte che, con la coda dell'occhio, egli ha presente. Se uno sta lavorando dentro una stanza piccola, ma

la piccola stanza è sfondata dal tipo di lavoro che sta facendo
– per esempio, la ricerca scientifica, anche su una mosca –, la bre-
vità dello spazio in cui uno agisce è raccordata con il destino del-
l'universo. Oppure, analogamente, ma su un altro piano, se uno
è in una stanza senza finestre a studiare, per esempio, la sintassi
greca, realmente è più soffocato che se fosse su un tavolo dentro
una stanza con tutti i vetri attorno: ci sarebbe, in quest'ultimo caso,
un orizzonte che influisce lievitando il suo studio, che rende lieta,
senza che se ne accorga, la sua fatica, che lo fa vibrare anche per
l'eccezione del genitivo.

Così, innanzitutto, la modalità, il «modo» cui accennava adesso
l'intervento, è definita dalla *coscienza presente dell'orizzonte totale*
del vivere cui l'insegnante è abituato.

Insisto, per esser breve, ma anche per essere più preciso: *la religiosità* dell'insegnante lo fa essere devoto, adoratore dell'oggetto,
poiché l'oggetto che deve trattare è la circostanza in cui emerge
contingentemente il mistero dell'essere. Perciò egli svolge una passione, ha una preoccupazione di lealtà e di fedeltà, di precisione,
un calore e una vibrazione che non avrebbe altrimenti. Non sarebbe
così, se non fosse religioso, se l'orizzonte totale non fosse normalmente presente come dimensione del suo spirito.

Ma c'è una *seconda coordinata* della modalità di cui parlava l'intervento: essa non riguarda più il contenuto che l'insegnante deve
comunicare, ma la persona a cui parla, lo scolaro, il discepolo, che
è una persona fatta per lo stesso destino, per la stessa verità. La
passione per la comunicazione è sostenuta da tale considerazione:
è a una persona *libera* che noi ci rivolgiamo. E ad essa prima di
tutto bisogna saper dare le ragioni della verità che si dice. Che sia
una persona libera significa che la nostra prima fatica deve essere
nel comunicare, nell'illuminare la *ragione* di quello che si dice.

Dare la ragione è proprio lo zampillare, anzi è l'inizio dello zampillare della fonte della ragione. Saper dare la ragione: quanto più
chiaramente, più ampiamente, più dettagliatamente, più lealmente,
più appassionatamente, più chiaramente si dà la ragione, tanto più
la modalità diventa giusta. E questo senza pretendere! Perché la
libertà implica una impervia capacità di contraddizione. Debbo
comunicare senza arrabbiarmi perché l'altro non capisce, poiché
vuole essere distratto. Si chiama *pazienza* il rispetto della libertà
come possibilità di contraddizione con il vero, che in qualche modo
vige in ognuno di noi e quindi vige anche nei ragazzi che abbiamo
davanti.

Questa seconda coordinata implica dunque un sentimento di consanguineità con le persone che abbiamo di fronte, una pazienza con il loro modo di fare. Senza pazienza non si comunica: «con la vostra pazienza possederete la vita», nella vostra pazienza possederete la vita dell'altro.

Questa seconda coordinata significa che l'insegnamento è un paragone con l'infinito, l'infinito che emerge in una fattispecie provvisoria, ma che contiene una realtà permanente: la faccia del ragazzo.

L'insegnamento, da qualsiasi punto di vista lo si prenda, è sempre un paragone tra noi e l'infinito: o paragone con l'infinito in quanto costitutivo del nostro io; o paragone con l'infinito in quanto costitutivo dell'emergenza effimera e contingente del fenomeno, che è segno, in questo caso; oppure paragone con l'infinito nella presenza della libertà dell'altro.

Non è concepibile, a mio avviso, un insegnamento che non sia un atto di religiosità. Per questo mi ricordo sempre – l'ho citata spesso – la mia maestra di prima elementare: si chiamava Clotilde, era piccola, con i capelli a corona, in un'aula dove d'inverno c'era la stufa perché non c'erano i caloriferi... Con il ricordo di mio padre e mia madre, è certamente il ricordo più impressionante di rapporto umano che io abbia avuto in vita mia. In quella figura adesso capisco che tutti questi fattori convivevano.

La pazienza non è un fattore particolare, non può identificarsi con un «temperamento»: ci può essere un temperamento più paziente, però ad un certo punto, come semplice temperamento, non resiste. Invece la pazienza come *virtù*, questa sì, è riassuntiva: senza coscienza dell'infinito, senza senso del destino, perché essere pazienti? Ma chi me lo fa fare, se non c'è speranza?

Comunque sia, giustamente la parola modo o modalità indica il flettersi contingente, e per sua natura variabile, del rapporto religioso ultimo.

Mi pare che sia così profondamente connaturato all'esperienza umana quanto detto adesso da don Giussani, che il Concilio stesso, a proposito della comunicazione della Fede, dice che tale comunicazione non può avvenire se non con verità e dolcezza. Si tratta di una struttura antropologica così radicale, che anche la comunicazione della Fede in qualche modo obbedisce a questo.

Sempre sulla questione del «modo», mi veniva in mente che tutte

*le osservazioni che don Giussani fa in proposito sono attraversate da
una rischiosissima lama, da una oscillazione continua: da una parte
esiste la possibilità che tutto questo degeneri in «espressione di sé»,
il negativo dell'espressione di sé, cioè, secondo quanto detto adesso:
l'espressione di uno che, quando agisce, non ha rapporto cosciente col
destino, è fuori dall'orizzonte totale, sta sospeso al filo della propria
immaginazione di sé; dall'altra, c'è invece la comunicazione di sé come
compito.*

*A proposito di questo diverso modo di atteggiarsi o di questa alter-
nativa, è stato detto che la comunicazione di sé è il comunicarsi osmo-
tico di una esperienza, come si verifica quando si parla di qualcosa:
«Quando leggevo Leopardi o* L'annuncio a Maria *di Claudel, non
erano Leopardi o* L'annuncio a Maria *che si spiegavano, ma era una
esperienza che si comunicava» dice don Giussani. Questa esperienza
si comunica, per così dire, muta, come nella musica delle parole, e
può essere percepita solo da un ascolto che, in* All'origine della pretesa cristiana, *è definito «morale».*

Questa osservazione ha un interesse estremo. C'è un film che
è andato per la maggiore, che tutti i vostri scolari hanno visto, di
cui tanti insegnanti sono stati entusiasti, e che io detesto, perché
è il simbolo dell'educazione come l'espressione di sé: *L'attimo fug-
gente.* L'insegnante nel film comunicava per pressione osmotica.
Ma non c'era un'esperienza che comunicava, tanto è vero che non
ne dava le ragioni.

È la ragione, infatti, che fonda la dignità dell'esperienza, e ne
dà l'ossatura. Il cuore dell'esperienza è affettivo, ma la struttura
dell'esperienza è data dalla ragione.

Quell'insegnante non ha dato una sola ragione: tutti erano com-
mossi e tutti erano furibondi contro i genitori che avevano provocato indirettamente il suicidio del giovane, mentre l'assassino era
stato l'insegnante. I genitori sbagliavano, ma erano molto più scu-
sabili, perché difendevano un dato, una memoria, mentre quell'individuo propalava un sogno.

Dico questo, perché da qualche tempo continua a ritornarmi
in mente la differenza fra *sogno* e *memoria.* Il sogno è come un
impeto di energia che in modo affascinante si pone e velocemente
si riassorbe e si dissolve. Invece, la memoria è tutta costituita di
fatti del passato, che come tasselli si uniscono in un organismo che
crea il presente. Il presente è costituito di tutti i fatti del passato,

ma non è casuale, perché ha dentro una ragione che supera tutte le ragioni. Infatti il presente è costruito tutto di tasselli del passato, ma li eccede, ha dentro qualcosa di eccedente la somma dei dati del passato, diventa un grido: è l'uomo che grida la sua felicità.

Da qui deriva la coscienza che ogni passo, quindi ogni contenuto che si affronta, il brano di realtà che si affronta e ogni modalità con cui si assume una responsabilità, sono parte di un compito, sono funzioni di un compito, che è unico, ed è quello di aiutare il proprio alunno a crescere verso il suo destino, a camminare meglio verso il suo destino, a correggersi dagli errori che commette nel camminare, con pazienza di padre e di madre. Anzi: «anche se vostro padre e vostra madre vi abbandonassero, io non vi abbandonerò», questo il cristiano lo può dire e ripetere veramente. Solo un padre e una madre cristiani possono ripetere: anche se il padre e la madre carnali ti abbandonassero, io non ti abbandonerò.

L'insegnamento come espressione di sé può dare l'intenso gusto dell'attore, il gusto dell'artista, e ognuno di noi conosce l'intensità cui può giungere tale gusto. Non che sia condannabile l'espressione di sé, ma non può essere la regola. Anche l'espressione di sé deve diventare funzione del compito.

In questi anni ho visto che c'è la tentazione di un tipo di potere, che è il più grande di tutti, forse: il potere sulle anime. È quel gusto, anche inutile, di far dipendere le persone da sé; il gusto di guidare e determinare il cammino dell'altro verso il proprio destino. Questa tentazione si insinua talvolta nell'intenzione nobile e buona dell'educazione.

Quando l'educazione è rapporto vero, incontro carico d'amore al destino dell'altro, ci si accorge che ciò che si desidera – con i figli questo è evidente, ma anche con gli alunni – è la realizzazione della libertà dell'altro, cioè che l'esito dell'educazione sia un più di libertà di fronte alla vita, di fronte a se stessi, di fronte al proprio destino.

Chiedo dunque: che cosa fa sì che l'educazione incrementi, faciliti la libertà dell'altro come posizione di fronte alla realtà, salvaguardando autorità e autorevolezza?

E qual è il nesso, allora, tra libertà e ragione? Cioè: come questo maturarsi della libertà fa capire di più la vita e la fa amare di più?

Non so se riesco a tenere presenti tutte le questioni così ponderose che sono state poste, ma la cosa più chiara è che la tentazione del potere sulle anime è una tentazione che abbiamo proprio tutti. È la tentazione dei genitori.

Il sacrificio forse più grande per dei genitori, il più grande dopo quello di vedere un proprio figlio morire, è vedere il proprio figlio, che si è tirato su con amore, cui si è dato tutto quello che si poteva dare, prendere decisioni e strade o formulare giudizi diversi da quelli che si ritengono giusti. È la cosa più terribile che noi proviamo di fronte ai nostri ragazzi in scuola. Ma per un padre e una madre è centomila volte più chiaro.

Il potere sulle anime: possederli per il bene loro; strappare loro la libertà per assicurare la loro felicità. Cristo è morto per lasciare la libertà in noi!

Io credo che, a questo punto, ci sia un paradosso da capire, capire nel senso di sentire.

La libertà non è fare ciò che si decide di fare: la libertà è l'adesione all'infinito, la libertà è, come dice *Il senso religioso*, l'adesione al destino, è la coincidenza con la felicità, è il possesso del fine, è l'essere realizzati.

La scelta è il segno di una libertà non ancora formulata, è una libertà in cammino, in divenire. È il segno di una libertà in divenire, come dice sempre *Il senso religioso*.

Ora, quanto più potentemente si desidera la libertà dei nostri alunni, cioè che raggiungano il loro destino – e la libertà raggiunge il proprio destino quanto più potentemente si desidera questo – tanto più dolorosamente e miracolosamente si approfondisce il rispetto della loro decisione, il rispetto del loro muoversi. Non ci può essere per loro una felicità non scelta da loro, un destino non riconosciuto ed accettato da loro.

Certo, tutto questo ci lascerebbe ancora totalmente insoddisfatti: preferiremmo prenderli per il collo e portarli dove debbono andare. Preferiremmo andare contro la loro libertà, nel senso della libertà di scelta.

Ma quello che ci placa, che proprio ci dà pace, è che c'è Uno, un Altro, che li ha voluti, che ha stretto alleanza con loro, dando loro l'essere, chiamandoli al battesimo, chiamandoli all'incontro con la Chiesa.

«E in sua voluntade è nostra pace»: metto nelle mani di Dio questi scavezzacollo. Sto dicendo qualcosa che io facevo realmente al liceo.

Insomma, dobbiamo ammettere che possiamo essere pieni di distrazioni, pieni di errori, pieni di malevoglie, ma se non c'è qualcosa che si libera all'orizzonte, se nel cielo tutto coperto di nubi non ci fosse quella lama di luce all'orizzonte che è l'amore all'infinito, l'amore al mistero, l'amore a Cristo, non si riuscirebbe più a rispondere a niente. O meglio, si risponderebbe, si risponderebbe a tutto, ma con una caparbia violenza. Ancora peggio: con una superficialità ripugnante.

Ricordavo in una discussione che Freud – l'emblema del determinismo assoluto: l'abolizione della colpa e della responsabilità – in uno dei suoi libri più famosi, in una nota a piede di pagina, dice testualmente: «Naturalmente l'ammalato può guarire solo se lo vuole», distruggendo così, in una mezza frase, tutto il suo determinismo.

Possiamo essere anche imbragati peggio che Filippo Argenti nella palude degli iracondi, possiamo essere impegolati nel mare delle dimenticanze e delle incoerenze, possiamo essere quello che vogliamo – l'unica cosa è non essere proprio Satana! –, ma senza quella lama di luce nel fondo che è la percezione del mistero di Cristo, noi non potremmo rispondere a nessuna domanda umana. Potremmo rispondere a tutte le domande scientifiche e tecniche, ma a nessuna domanda umana.

Per questo voi avete un compito che è il più grande compito che ci sia: è il compito sacerdotale – come un padre e una madre, ma, come insegnanti, al di là del padre e della madre. Il vostro è un compito religioso – non perché dovete parlare di Gesù Cristo: in dodici anni di insegnamento al Berchet, non ho mai citato una sola volta il movimento che allora prendeva vita e forza, né ho mai invitato alcuno in scuola a venirvi.

Ma voi avete un compito religioso, il compito supremo che un uomo può avere verso un altro uomo, verso la società. Questo è commovente, da ripetere: uno può commettere mille errori gravi al giorno, mille assassinii al giorno, ed avere tutto questo dentro di sé. Se è insegnante, non può non averlo dentro.

«L'educazione non è una cosa per insegnanti»; non è una cosa da insegnanti, nel senso che è una cosa da uomini. Uno è insegnante nella misura in cui riesce davvero ad essere uomo, a testimoniare il suo sé più autentico, la radice da dove fluisce la lingua che lo fa vivo. In effetti poi, ed è drammatico, gli insegnanti sono i più esposti ad essere diseducatori, per le tentazioni realmente diaboliche che professionalmente subiscono, ma anche perché sono professionalmente ricattati in quanto chiamati da un inquinamento culturale dello Stato a elu-

*dere sistematicamente la domanda di libertà, e quindi di ragione o
di ragioni, che costituisce coloro che hanno davanti.*

*Ora, il movimento è di persone, non di cose; può essere solo di
persone. L'insegnante è tale, educatore, non semplicemente perché è
in scuola, ma in quanto appartiene e quindi è nel movimento. Mi
chiedo: nel caso in cui si trovi in una scuola libera, che per suo destino
profondo è chiamata a costituire nella concretezza uno dei punti di
consistenza della vitalità della tradizione come dato di cultura, quasi
un permanere vitale del comunicarsi della fede, in che modo l'insegnante deve adoperarsi perché non sia ulteriormente ricattato, anche
nella scuola libera, dall'inquinamento statale della cultura?*

A me pare che, prima di tutto, il disinquinamento – una bella
immagine, efficace – dalla mentalità statale non possa non essere
collettivo; deve essere una compagnia, la vostra compagnia, che
prende coscienza della necessità di liberarvi e di liberare gli alunni
e di liberare l'aria dalla costrizione degli schemi.

Non potete farlo se non insieme. E poi, quando c'è un'azione
da fare insieme, occorre un certo organismo, altrimenti diventa
disordine: occorre una collaborazione di tutti in un necessariamente
contingente, ma altrettanto necessariamente inevitabile, ordinamento finale. Cioè ci deve essere una guida, si deve fare insieme
seguendo una guida che funge da ipotesi di lavoro, anche continuamente da cambiare.

Ora, come contenuto di questo cambiamento, come trincea in
questa difesa della verità per cui una scuola libera nasce, innanzitutto deve essere valorizzata la parola tradizione.

Quello che prima ho detto della memoria definisce il concetto
di tradizione, perché la memoria non tralascia un solo spigolo del
passato, non dimentica, non censura un solo sassolino del passato.
Tutto è valorizzato: neanche uno iota della Legge, cioè di ciò che
è accaduto, viene dimenticato. Questa è una prima norma, senza
della quale non c'è e non può nascere l'autorevolezza.

L'autorità non deve essere selezionatrice di ciò che è accaduto.
Intendetemi bene: si tratta di porre un ordine, di dare a ciascuna
cosa il suo vero posto, ma il primo fattore del contenuto di questa
liberazione è la fedeltà alla tradizione.

Senza fedeltà alla tradizione, il presente è falsato, il presente
non ha contenuto e forza, il presente è già mancipio dei rivoluzio-
nari, dei violenti. Perché il presente non sia preda dei violenti biso-

gna che non dimentichi nulla del passato e non abbia la necessità di nascondere o di mascherare qualche cosa.

Perciò l'autorità, in una scuola libera, è quella che riesuma dalla miniera del passato tutto. Come dice Gesù nel Vangelo: come un padre di famiglia che trae dal suo tesoro il nuovo e il vecchio.

La scuola libera è lo strumento più grande della libertà: non per nulla tutte le rivoluzioni vanno a finire nel cambiamento della scuola e della concezione scolastica. La trincea della libertà è la scuola. Perciò occorre essere tutti insieme, guidati. Bisogna avere il coraggio di lasciarsi guidare: non ripetere ciò che dice un altro, ma accettare di collaborare dentro la pazienza di un organismo che, nella speranza, tende. Riprendendo l'intervento precedente che parlava di autorità e autorevolezza, dico quindi che *l'autorità è il fattore che valorizza la totalità del passato*. Infatti la grande Autorità è Dio, al quale non sfugge un capello del capo.

Il secondo fattore, *l'autorevolezza*, è rendere ragione delle modalità con cui si definiscono le cose, ossia rendere ragione di ogni nostra posizione; rendere ragione della speranza che è in noi.

Rendere ragione non vuol dire persuadere, perché il problema della persuasione è un problema della libertà dell'individuo, ma soprattutto della libertà di Dio.

Rendere ragione non vuol dire drizzare le cose storte, perché la coerenza morale è un miracolo che compie Dio. L'autorevolezza è tutta protesa a dare le ragioni della speranza che ci sostiene. Ricordo quello che dicevo nelle classi di scuola: voi non siete d'accordo con me, ma non potete negare che la mia posizione sia così dignitosa che non sapete più cosa dire.

Perciò la tentazione del potere sulle anime è evitabile nell'uso dell'autorità, come l'ho intesa – valorizzazione della tradizione totale, tutto ciò che Dio ha permesso nel mondo – e nell'autorevolezza: comunicazione della ragione per cui il significato dello sguardo sul passato, fino ad un istante fa, per me è speranza, cioè indica con certezza la felicità ultima, la positività dell'essere.

La famiglia, il luogo naturale

Tutto è luogo di educazione all'appartenenza

Ogni rapporto, ogni impatto con la realtà è avvenimento di un approfondirsi *nell'essere*; è un passo nel cammino di quella adesione, di quell'immedesimazione con l'essere in cui consiste la crescita della persona. Infatti la persona è rapporto con l'essere, è appartenenza al mistero, è relazione con l'infinito (come insegna e documenta l'itinerario descritto ne *Il senso religioso*).

Al di fuori di questa appartenenza al mistero, al di fuori di questo rapporto determinato con l'essere, la persona non capisce più se stessa, cade in balìa di tutto, come la foglia fragile e caduca di cui parlava l'antico poeta. Al di fuori dell'appartenenza al mistero, la comunità si riduce ad una sorta di agglomerato di individui isolati, come granelli di polvere dentro il polverone, in una solitudine senza fine.

Una poesia di Čudakov, poeta clandestino russo del Samizdat, definisce come incombente pericolo per tutti, quello che egli accusa come situazione normale dell'uomo russo: «Quando gridano "un uomo in mare!" il transatlantico grande come una casa si ferma all'improvviso e l'uomo lo pescano con le funi: ma quando fuoribordo è l'anima dell'uomo, quando egli affoga dall'orrore e dalla disperazione, nemmeno la sua propria casa si ferma, ma si allontana».

Come una foglia, come un granello di polvere: chi non riconosce di appartenere a Dio è — come dice il primo Salmo della Bibbia — «come pula che il vento disperde».

Oppure è definito dalla «ubris», dalla violenza, dall'affermazione di sé secondo la reazione provocata dagli impatti con la realtà.

È solo l'appartenenza che stabilisce l'unità della persona; e infatti tutto è convogliato e fluisce verso un destino *per cui* siamo fatti, destino che è origine carica di tensione e di desideri, alfa e omega, principio e fine. Come dice Roland Barthes nei *Frammenti di un discorso amoroso*: «Se io accetto la mia dipendenza, è perché essa costituisce per me un mezzo per significare la mia domanda».

La famiglia è il luogo dell'educazione all'appartenenza

In essa risulta evidente come la persona fluisca da un antecedente che la trama tutta. Nella famiglia è evidente che l'elemento fondamentale di sviluppo della persona sta nell'appartenenza reciproca, coniugata, di due fattori, l'uomo e la donna.

Ed è nella famiglia che la vera appartenenza si rivela come libertà: l'appartenenza vera è libertà. La libertà, infatti, è quella capacità di aderire – fino all'immedesimazione e alla assimilazione – che è resa possibile dal legame. Il primo aspetto della libertà è affermare un legame, altrimenti uno non cresce perché non assimila più, ma un legame che passa attraverso il momento della responsabilità, momento strano, estraneo in un certo senso, perché è proprio l'imitazione dell'infinito, è il tocco del rapporto con l'infinito: la responsabilità plasma il legame secondo la coscienza del destino e secondo la coscienza dei desideri che il destino, come origine, le suscita dentro.

La famiglia dunque è il luogo dell'educazione all'appartenenza perché in essa risulta evidente che l'origine dell'uomo è una presenza già esistente e che il suo sviluppo è assicurato dall'appartenenza a due fattori: appartenenza «coniugata», legame plasmato nella responsabilità.

Una condizione fondamentale

Per educare a questo senso dell'appartenenza, che definisce la persona umana, occorre quasi un processo di osmosi o, per usare un'altra metafora, un «riflesso esemplare». Vale a dire: questa educazione all'appartenenza accade se la coscienza di appartenere ad un altro è trasparente nei genitori. Quando nei genitori è trasparente la coscienza che il proprio io è appartenenza, che l'assenza della propria persona sta nell'appartenere ad un altro (così che senza questa appartenenza cadrebbe nel nulla la propria consistenza) ecco, questa coscienza passa ai figli. Non attraverso dei discorsi: senza quella «pressione osmotica», senza riflesso esemplare, i discorsi stabiliscono nella coscienza dell'uditore, del figlio, degli ostacoli. Invece che aprirsi una strada, la parola diventa ostacolo.

Se noi usassimo la nostra autocoscienza fino in fondo su noi stessi, non più bambini, ma adulti, quale sarebbe l'evidenza più impressionante che ci occuperebbe? Questa: che in quel dato momento, nell'istante, io non sto facendomi da me. *Io non mi faccio da me*. Perciò in questo momento io sono qualcosa-d'altro-che-mi-fa, sono come fiotto che sgorga da una sorgente. Perciò dire «io» con totale consapevolezza è dire (non possiamo che usare questa che è la parola più dignitosa e più umana del vocabolario) «tu». Io, in questo istante, non ho evidenza più grande del fatto che io sono *tu-che-mi-fai*.

Senza abbordare questa esperienza, è come se uno non potesse comprendere che cosa è pregare. La coscienza di sé fino in fondo sta soltanto nell'atto di pregare, cioè nel riconoscimento di Colui cui apparteniamo, di Te cui appartengo: *Padre Nostro*. Dice la Bibbia: *tam pater, nemo*, nessuno è così Padre. Perché il padre naturale dà l'abbrivio iniziale alla creatura, mentre il Padre, che è l'Essere cui apparteniamo, ci genera ogni istante, sta generandomi ora come il primo istante. Per questo io sono totalmente fatto di Lui, gli appartengo totalmente, così che anche «i capelli del vostro capo sono numerati», come dice il Vangelo.

Ma in questa percezione, in questa trasparenza di coscienza, scaturisce l'esperienza più stimolante, più consolatrice, più affascinante della vita: l'esperienza della gratuità totale del fatto che *ci sono*. Non c'è niente di più stimolante e di più affascinante: il fatto che ci sono implica la bontà originale, fondamentale e ineludibile dell'Essere, e perciò l'aspetto di dono, di ricchezza positiva, che l'Essere è per tutto ciò cui dà vita.

Ecco, è dentro questa esperienza della gratuità che quella «pressione osmotica» di cui si è parlato prima, quel «riflesso esemplare» può avvenire. C'è una caratteristica di gratuità nel temperamento del padre e della madre necessaria perché l'educazione passi. È nell'esperienza della gratuità che il processo di educazione all'appartenenza può realizzarsi tra i genitori e i figli.

Un'esperienza di gratuità che ha come due flessioni. La prima è la gratuità verso l'essere, verso Dio; la gratitudine – si badi – verso Colui che dà la vita, verso Colui di cui è fatta la vita, che diventa gratitudine per il figlio concepito. Io credo che tutti i difetti più gravi della personalità possano dipendere dalla non gratitudine con cui una donna o un padre hanno aspettato o ricevuto un figlio. Perché la gratitudine verso ciò che nasce è lo stupore della gratuità dell'essere, è la trasparenza della coscienza della propria appartenenza totale.

La seconda flessione è lo stupore, la meraviglia in cui si traduce e quasi si concreta il senso della gratuità ultima del rapporto tra l'uomo e la donna. Senza questo senso ultimo di gratuità, perciò di stupore e di meraviglia, dell'uno verso l'altro, l'educazione all'appartenenza diventa difficile, perché quella trasparenza di cui abbiamo parlato non c'è. Se il rapporto tra i due è appesantito perché privo di gratuità, se fra l'uomo e la donna manca questa percezione di gratuità della presenza dell'uno all'altro, allora il «riflesso esemplare» tarda o viene meno.

Dice il Vangelo: «Ama il prossimo come te stesso». Ora, amare se stessi non è amare le proprie reazioni (come normalmente accade): questo è l'egoismo; amare se stessi è amare il proprio destino. Perciò non si può amare la propria moglie o il proprio marito, l'altro, senza amore al suo destino (che è identico al mio).

Ma c'è un altro aspetto della gratuità: è il senso del *compito comune*. Dei due aspetti, amore al destino e senso del compito comune, il più facilmente presente, il più copiosamente considerevole è questo secondo, anche se il più radicale e decisivo è il primo. Senza la gratuità data dal senso del compito umano il rapporto non tiene, tutto si disfa come foglie, o diventa *ubris*, violenza. Il compito è infatti il confluire di tutto verso il destino comune.

Quale atteggiamento occorre avere verso il figlio?

Dovremmo ripetere ancora: gratuità, la parola dominante, assolutamente non astratta, per la quale ci sopportiamo a vicenda e per la quale ancora un po' godiamo nella vita.

Si tratta innanzitutto di una gratitudine per la generazione, cioè l'accettazione completa che quel figlio appartenga a sé. In secondo luogo, della riconsegna del figlio all'Altro, a Ciò di cui il figlio è

costituito e a cui appartiene in modo totale sì che questa appartenenza ne costituisca la personalità. Insomma è l'atteggiamento di
adesione da parte dei genitori a ciò che costituisce la persona del
figlio, il rapporto con l'Essere, con Dio.

Ricordo sempre una delle impressioni più grandi che provai nei
primi anni di sacerdozio. Veniva una signora a confessarsi tutte
le settimane, ma poi, d'improvviso, non venne più. Dopo un mese
ritornò: «Sa, non sono venuta perché mi è nata la seconda figlia».
E, prima ancora che io potessi dirle «congratulazioni» o «auguri»,
proseguì: «Sapesse che impressione ho avuto appena mi sono accorta
che si staccava; non ho pensato "è un maschio" o "è una femmina",
ma "ecco, incomincia ad andarsene"».

Il figlio se ne va, è uguale a dire: «il figlio cresce», tanto appartiene ad un Altro. In questo processo l'atteggiamento originale di
gratuità può vivere la separazione come occasione di riconoscimento
del proprio figlio come qualcosa di diverso (sempre diverso da quello
che uno si immaginava, e che ogni momento fa diventare diverso).
Il figlio diverso è proprio il segno che appartiene a un Altro.

Se invece questo processo non si segue con gratuità, nasce il
rancore: man mano che il figlio se ne va, un rancore più o meno
sordo pone il genitore nella solitudine. L'appartenenza del figlio
al genitore è reclamata, recriminatoriamente, imprigionata dentro
uno schema immaginato.

Il metodo per educare all'appartenenza

Il metodo, che rappresenta tutto il processo educativo, si può
riassumere in una parola: l'esperienza. Che il figlio realizzi l'esperienza del vivere, del proprio io. È l'esperienza che salva l'appartenenza ad un altro dall'essere alienazione, ed assicura perciò l'identità, così che l'appartenenza all'altro è la propria identità.

Questa traiettoria educativa, che si chiama esperienza, ha un
dinamismo.

a) *La tradizione assimilata.* L'appartenenza dei genitori nella sua
concretezza assimilata, *cioè la proposta.* Il primo aspetto dell'educazione è la proposta, e questa è la propria tradizione assimilata.

b) *Il condurre per mano,* cioè l'introduzione in una realtà concreta che il figlio possa assimilare. Questo secondo punto è certamente il più delicato, perché deve identificare l'ambito che costituisca possibile assimilazione per il figlio.

c) *L'ipotesi di lavoro.* Si tratta di un lavoro umano, perciò s'intende un'ipotesi di significato. È la tradizione come ragione: tradizione non solo assimilata, ma assimilata nelle sue ragioni, senso e valori.

d) *Il rischio.* Che aumenta, che è destinato ad aumentare sempre. Proprio perché l'appartenenza è legame e responsabilità, lo spazio della responsabilità salva la santità e l'umanità del legame. Assicura la vera appartenenza, per cui la proposta, il condurre per mano e l'ipotesi di lavoro come significato, tutto questo deve essere offerto e realizzato con delicatezza, o con discrezione verso la libertà che si evolve, verso la responsabilità del figlio. Non credo che, tranne la morte, ci siano momenti così dolorosi per un genitore, nella compagnia che dà al figlio, che lasciarlo responsabile: «messo t'ho innanzi, omai per te ti ciba» (Virgilio a Dante).

e) *La compagnia stabile,* cioè la fedeltà. Dio è fedele. San Paolo osserva che Dio rimane fedele anche se lo tradiamo. Quindi compagnia stabile ai figli, fedeltà ad essi, discreta, sempre pronta ad intervenire, vigilante. Compagnia fino al perdono, all'infinito.

La carità, legge dell'essere

Scopo

1. Innanzi tutto la natura nostra ci dà l'esigenza di interessarci degli altri.

Quando c'è qualcosa di bello in noi, noi ci sentiamo spinti a comunicarlo agli altri. Quando si vedono altri che stanno peggio di noi, ci sentiamo spinti ad aiutarli in qualcosa di nostro. Tale esigenza è talmente originale, talmente naturale, che è in noi prima ancora che ne siamo coscienti e noi la chiamiamo giustamente legge dell'esistenza.

Noi andiamo in «caritativa» per soddisfare questa esigenza.

2. Quanto più noi viviamo questa esigenza e questo dovere, tanto più noi realizziamo noi stessi; comunicare agli altri ci dà proprio l'esperienza di completare noi stessi. Tanto è vero che, se non riusciamo a dare, ci sentiamo diminuiti.

Interessarci degli altri, comunicarci agli altri ci fa compiere il supremo, anzi unico, dovere della vita, che è realizzare noi stessi, compiere noi stessi.

Noi andiamo in «caritativa» per imparare a compiere questo dovere.

3. Ma Cristo ci ha fatto capire il perché profondo di tutto ciò, svelandoci la legge ultima dell'essere e della vita: la carità. La legge suprema, cioè, del nostro essere è condividere l'essere degli altri, è mettere in comune se stessi.

Solo Gesù Cristo ci dice tutto questo, perché Egli sa cos'è ogni cosa, che cos'è Dio da cui nasciamo, che cos'è l'Essere.

Tutta la parola «carità» riesco a spiegarmela quando penso che il Figlio di Dio, amandoci, non ci ha mandato le sue ricchezze come avrebbe potuto fare, rivoluzionando la nostra situazione, ma si è fatto misero come noi, ha «condiviso» la nostra nullità.

Noi andiamo in «caritativa» per imparare a vivere come Cristo.

Conseguenze

I. La carità è legge dell'essere e viene prima di ogni simpatia e di ogni commozione. Perciò il fare per gli altri è nudo e può essere privo di entusiasmo. Potrebbe benissimo non esserci nessun risultato cosiddetto «concreto» – per noi l'unico atteggiamento «concreto» è l'attenzione alla persona, la considerazione della persona, cioè l'amore.

Tutto il resto può venire di conseguenza: come Gesù che dopo fece i miracoli e sfamò la gente.

Due punti di partenza non chiari per la nostra apertura agli altri noi dobbiamo notare:

1. Sovvenire ai bisogni altrui.

È un punto di partenza ancora incompleto! Qual è il bisogno altrui?

Questa impostazione è ambigua, dipende da cosa noi crediamo che sia il bisogno altrui: e se ciò che io porto non è veramente quello di cui essi hanno bisogno? Ciò di cui hanno veramente bisogno non lo so io, non lo misuro io, non ce l'ho io. È una misura che non possiedo io, è una misura che sta in Dio. Perciò le «leggi» e le «giustizie» possono schiacciare, se dimenticassero o pretendessero sostituirlo, l'unico «concreto» che ci sia: la persona e l'amore alla persona.

2. L'amicizia.

Anche cominciare puntando sull'amicizia, con tutta l'ambiguità che ci può comportare, è incompleto.

L'amicizia è una corrispondenza che si può trovare o no, un avvenimento non essenziale per la nostra azione di oggi, anche se essenziale per il nostro destino finale.

II. L'andare agli altri liberamente, il condividere un po' della loro vita e il mettere in comune un po' della nostra, ci fa scoprire una cosa sublime e misteriosa (si capisce facendo).

È la scoperta del fatto che, proprio perché li amiamo, *non siamo noi a farli contenti*; e che neppure la più perfetta società, l'organismo legalmente più saldo e avveduto, la ricchezza più ingente, la salute più di ferro, la bellezza più pura, la civiltà più educata li potrà mai fare contenti.

È un Altro che li può fare contenti. Chi è la ragione di tutto? Chi ha fatto tutto? Dio.

Allora Gesù non rimane più soltanto Colui che mi annuncia la parola più vera, che mi spiega la legge della mia realtà. Non è più la luce della mia mente soltanto: io scopro che Cristo è il senso della mia vita.

È bellissima la testimonianza di chi ha sperimentato questo valore: «Io continuo ad andare in caritativa perché tutta la mia e la loro sofferenza hanno un senso».

Sperando in Cristo, tutto ha un senso, Cristo.

Questo scopro, finalmente, nell'ambito dove vado in «caritativa», proprio attraverso l'impotenza finale del mio amore: ed è l'esperienza in cui l'intelligenza affonda nella saggezza, nella cultura vera.

III. Ma il Cristo è presente adesso: non «è stato», non «è nato», ma «c'è», «nasce» oggi: è la Chiesa. La Chiesa è il Cristo, presente adesso, come Lui ha voluto.

E la Chiesa è la comunità di noi, proprio di noi, poveri e attaccati a Lui.

Perciò la speranza ci sostiene, Dio stesso è tra noi, è presente tra noi.

Uno di noi, in una discussione ha detto: «Continuo ad andare a..., perché ci siete voi». È verissimo: proprio il senso del nostro essere insieme, della comunità ecclesiale, ci fa tirare avanti oggi fra gli handicappati, negli ospizi, con chiunque è bisognoso e, domani, nella fabbrica, nella città, in Europa, nel Mondo che è così grande e lo aspetta.

Direttive

Riferirsi continuamente al movimento altrimenti è più grande il pericolo di smarrire la ricerca dell'idea profonda che ci sostiene nel fare per gli altri; e più grande è il pericolo di scoraggiamenti, stanchezze o infedeltà.

La *fedeltà* nel fidarsi delle indicazioni del movimento e di coloro che ne sono i responsabili è il primo merito e avrà il suo frutto. Le direttive che al riguardo Comunione e Liberazione dà sono tre:

1. Sapere perché.

Finché non sapremo bene, con chiarezza e semplicità il perché ultimo, lo scopo del nostro fare, fino allora non bisognerà mai stare quieti. Il nostro scopo è tirar fuori da quel che facciamo il senso, l'idea, per la quale esclusivamente potremo riuscire ad essere fedeli, anche quando non saremo più entusiasti o non provassimo più gusto.

Occorrerà quindi dialogare nelle nostre assemblee a gruppetti, con i responsabili della comunità, con le persone più mature e vive. Soprattutto revisionarsi ogni tanto attraverso contatti «centrali».

2. Fare per comprendere.

Per capire non basta *sapere*, occorre *fare*, con quel coraggio della libertà che è aderire all'essere che si vede, cioè alla verità.

Se la legge dell'esistenza è mettere in comune se stessi, noi dovremmo condividere tutto, ogni istante.

Questa è la maturità suprema che si chiama umanità o santità. Per educarci a questo ideale, l'esserci costretti dalle circostanze (il «dovere» nel senso solito) serve molto più difficoltosamente.

È il piccolo tempo libero che mi educa, ciò che dà l'esatta misura della mia disponibilità agli altri, è l'uso di quel tempo che è solo mio, in cui posso fare «ciò che ho voglia». Ci formiamo così una *mentalità*, un modo quasi istintivo di concepire la vita tutta come un condividere.

Il piccolo tempo libero redime tutto il resto. E, adagio adagio, andando in «caritativa» si incomincia a capire di più il compagno di banco, il papà e la mamma, il collega di lavoro.

È soprattutto l'età della giovinezza il momento unico in cui possiamo con agilità, almeno normalmente, assimilare questa mentalità. Ed è solo cominciando a fare, a donare del tempo *libero* come integrale gesto di libertà, che la carità cristiana diventerà mentalità, convinzione, *dimensione* permanente.

È da notare che a noi non interessa tanto la molteplicità delle attività, la quantità del tempo libero che si dedica. A noi interessa che nella nostra vita e nella nostra coscienza si affermi il principio del condividere attraverso almeno *qualche* gesto, anche minimo, purché sia sistematicamente messo in preventivo e realizzato. Per questo basterebbe, come inizio, anche una volta al mese. Anche per quanto riguarda la periodicità dell'impegno è bene consultare chi nella comunità può correttamente consigliarci.

3. Ordine.

È *il tempo libero* che dobbiamo impegnare (e il più a fondo possibile). Duplice è il limite che mantiene nell'ordine la genialità del tempo libero:

a) Non ledere lo *studio* (o il *lavoro*).

b) Non venire meno alla *discrezione in famiglia*.

Anche qui sarà il personale dialogo con l'autorità familiare e con l'autorità nel movimento che ti aiuterà a raggiungere un criterio per definire il tuo tempo libero.

Appendice

La felicità, il dolore, la scelta di Dio, la compagnia

La felicità

Che cos'è la felicità? È un insieme di emozioni o qualcos'altro?
La felicità è il compimento totale e permanente dei desideri costitutivi, delle esigenze della propria umanità.

Qual è la differenza tra la condizione di gioia o di letizia e quella di felicità?
La gioia è come un anticipo breve e parziale di felicità; la letizia è uno stato d'animo, tendenzialmente permanente, generato dalla speranza della felicità.

Quindi è lecito dire «Sono felice» o è più giusto dire «Sono alla ricerca della felicità»?
È giusto dire «Sono felice pienamente» quando si sa che la parola «felicità» sostituisce la parola «letizia».

Perché il cammino verso la felicità è necessario farlo in compagnia?
Perché da solo uno perde lo scopo: sparisce nella fatica; nella sofferenza si perde d'animo e smarrisce lo scopo.

Che differenza c'è tra sognare e sperare?
Sognare è sfuggire alle circostanze pesanti e faticose in un futuro immaginario. Sperare è la capacità, nel presente, di portare anche la fatica, perché si ha la ragione chiara del proprio Destino; sperare perciò implica un cambiamento.

Le occasioni di sacrificio sono occasioni «sfortunate»: sono cioè, da considerarsi un inciampo nel cammino di cambiamento verso la felicità?

Se il sacrifico è considerato così, significa che il cambiamento non c'è ancora.

Se il desiderio di letizia si compie nell'incontro, e in particolare nell'incontro con certi volti, e si perdono questi volti si rischia di non essere più lieti?

Si perde un richiamo alle ragioni che l'uomo ha per percepire la sua vita come un cammino verso la felicità; cioè è molto più facile che uno si disperi, ma l'averli visti è ragione sufficiente per continuare a sperare.

La letizia è cosa diversa dall'ottenimento della tranquillità?

Sono due cose totalmente diverse. Il raggiungimento della tranquillità può essere fatto senza ragioni adeguate, per dimenticanza o per pigrizia, per dimenticanza favorita dalla pigrizia.

La letizia è una tensione, la tranquillità può essere una dimenticanza senza ragioni.

La tranquillità o è la coscienza della letizia oppure è qualcosa senza ragione.

Spesso si scambia la corrispondenza tra la realtà e le esigenze ultime del cuore (come insegna Il senso religioso) con ciò che immediatamente aggrada. Come si fa a distinguere?

La corrispondenza è ciò che operativamente ti predispone e ti sospinge verso l'orizzonte della tua azione secondo tutta la sua esigenza originaria.

Il desiderio di una felicità totale sminuisce i bisogni e le piccole cose che viviamo?

No, perché esse sono la modalità con cui si è sospinti verso la felicità totale. E con cui ci viene insegnato che tutto ha valore proprio come momento di cammino alla felicità totale.

C'è differenza tra l'inclinazione naturale alla felicità e il desiderio di felicità?

C'è la differenza che passa tra un dato naturale e la coscienza di esso. Il desiderio è la coscienza di una destinazione.

Qual è la ragione dell'affermazione che solo il cristianesimo è la risposta alla esigenza di felicità?

Perché solo Cristo ha portato una chiarezza completa sulla natura, sulla consistenza delle nostre esigenze costitutive e sul modo di raggiungere il Destino. Solo Cristo, infatti, ha vinto la morte.

Sul dolore

Se il dolore personale può essere grave – ma la compagnia ci dà aiuto – come porsi nei confronti del dolore universale, come la guerra o la fame, dove la violenza cieca si scatena sembra non lasciare via di scampo alla speranza?

Solo questo farebbe capire l'invocazione piena di pietà che l'uomo ha verso il fatto di Cristo, verso l'intervento di Dio.

Il dolore... non esiste risposta al perché del dolore. La risposta è che Dio ha voluto il suo disegno nel mondo così.

Prova: è venuto nel mondo ed è morto. Controprova: il dolore diventa un'obiezione solo quando non lo si accetta.

Accettando il dolore si cresce.

Si cresce nella percezione di sé, nel senso del limite di tutte le cose, nella coscienza che solo Dio vale.

Pavese, nel suo *Diario*, dice che è una cosa inconcepibile soffrire senza sapere perché. Cristo ti rivela che il dolore ha uno scopo: partecipare alla redenzione del mondo, alla croce di Cristo, fa diventare l'uomo più se stesso perché lo fa diventare più cosciente dei suoi limiti e più amoroso degli altri uomini. Senza Cristo non c'è "un senso" del dolore. Questa è proprio la cosa più vera: non c'è senso al dolore, perché l'unico che può dar senso a una cosa è chi la vince.

Che differenza c'è tra questo modo di accettare il dolore e quello per cui comunemente si dice: «bisogna accettare il dolore perché tanto non ci si può far niente»?

Questo è fatalismo. Fatalista vuol dire senza ragioni.

Cos'è un dolore che ti capita tra capo e collo, cioè una pena che non hai cercata?

È un avvenimento che imponendo un sacrificio eccezionale rende più meritevoli dell'eterno.

La tristezza è un impedimento al raggiungimento della felicità?

Diciamo sempre che la vita è triste, ma è meglio che sia triste altrimenti sarebbe disperata.

La scelta di Dio

L'iniziativa è tutta di Dio che sceglie, ma cosa accade dopo? Cioè, dove nasce la mia risposta? Dalla mia libertà o dalla Grazia?

Nasce innanzitutto dalla libertà di Dio (Grazia) che mette sempre l'uomo nelle condizioni per essere aiutato a seguire o a trovare la strada giusta. Solo che questa illuminazione della Grazia deve essere riconosciuta e accettata: e qui incomincia ad intervenire la libertà dell'uomo, che si chiama anche disponibilità. Gesù diceva: «Se non sarete come bambini non entrerete nel regno dei cieli».

Che cosa significa esattamente che Dio è diventato contemporaneo alla nostra esperienza come ultimo protagonista di essa? È Lui che gestisce tutto o siamo noi che facciamo tutto in funzione di Lui?

È Lui che gestisce tutto secondo quello che abbiamo detto prima: dando all'uomo in ogni istante tutto quello che gli occorre per andare al suo Destino. Questo s'avvera se l'uomo permane nell'umiltà originaria, se l'uomo è un povero di spirito, se rimane secondo la sua vera natura, che è quella di essere mendicante, se l'uomo chiede a Dio la capacità di riconoscere e accettare.

«Dio mi ama perché mi ama», oppure «Ti scelgo perché ti scelgo»: non si riesce a dirlo con convinzione perché spesso sembra che il desiderio di felicità e di compimento non si realizzi. Dove si sbaglia?

Se ti ha scelto è perché vuole la tua felicità. «Ti ha scelto» significa «ti vuole»: inizia la possibilità di letizia.

La compagnia

L'appartenenza è una dimensione strutturale dell'io oppure dipende da un avvenimento che ti capita? E se l'appartenenza è una dimensione strutturale, che cosa porta di nuovo l'intervento della Grazia?

L'appartenenza è una dimensione strutturale dell'io: eravamo niente, ci siamo... siamo di un Altro! Capire questo dipende da un avvenimento provvidenziale, pietoso, amoroso. Quell'avvenimento può rappresentare un *carisma*. È una modalità con cui Dio ti fa capire che Gli appartieni. E per questo non puoi più allontanarti da quell'avvenimento, cioè da quel carisma, dalla forma in cui Dio ti ha consegnato questa verità senza tradire la verità stessa.

La Grazia è proprio il dono con cui Dio fa accadere quell'avvenimento da cui capisci che tu appartieni.

Perché, dopo anni di movimento, sforzo e misura tendono a sostituire curiosità e desiderio?

Meno male che è così, perché la capacità di sforzo e di misura (in senso positivo) rappresentano la maturità della curiosità e del desiderio, il maturarsi cosciente della curiosità e del desiderio. Un maturarsi che si sente obbligato a paragonarsi continuamente con delle circostanze diventa fatica e misura.

Quindi, nell'affezione alla compagnia non c'è solo sentimento?

Anzi; l'affezione alla compagnia deriva dalla ragione della compagnia. L'affezione nasce da un giudizio di valore.

Cosa significa che il metodo da seguire è la carità?

Se per metodo si intende virtù, la virtù è la carità. Uno che segue, e che segue con volontà, vive la virtù, cioè la carità.

Se il modo con cui viviamo oggi il rapporto con Cristo è l'incontro con il carisma, come è possibile tale rapporto là dove ci sembra non ci sia una viva eco del carisma nelle persone che guidano?

Il problema è la regola su cui si fonda la vita del movimento. Quelli che guidano possono essere preziosi perché custodiscono la regola.

Cos'è la regola di questa compagnia?

La regola è il sacrificio di stabilire l'immagine di momenti di memoria in cui quello che ci siamo detti rinasce, diventa più presente e perciò più attuabile. È l'idea della compagnia guidata al Destino.

Una compagnia guidata al Destino, proprio perché «guidata», implica una regola. Infatti la regola è riconoscere una guida e non stabilire un proprio possesso.

La regola può essere utile per stabilire dei punti nella giornata, ma se non c'è una guida, essa sarà presuntuosa o sarà puramente formale (punti fondamentali della regola da cui tutti gli altri dipendono sono quelli imposti da Cristo: il Magistero infallibile e i Sacramenti).

Il mio atteggiamento è quello di chi si arrende, non contento però, ma imprecando. È come una lotta continua dove mi sembra di aver sempre la peggio.

Forse perché non ricerchi le ragioni e non ami la verità che in esse è contenuta; cioè non sviluppi l'affezione alla verità.

Come si fa ad appartenere senza aver paura di perdere qualcosa?

È impossibile appartenere senza aver paura di perdere qualcosa. Ma proprio accettando l'appartenenza – nonostante la paura di perdersi – si riguadagna tutto dentro il dono di sé.

Sono contento della compagnia perché mi sembra che sia capace di leggere e cambiare la realtà e quindi mi paragono e domando. Mi sembra però che la mia domanda si fermi al «vivere bene» e non è invece una richiesta della sua presenza, della persona di Cristo. C'è qualche ambiguità?

C'è una miopia da guarire. Ed è una miopia che si chiarisce pregando lo Spirito che acuisca la coscienza, così da abilitarla a riconoscere la grande Presenza su cui ogni virtù si fonda.

Come si fa a capire che la compagnia che si vive è quella vera, che è per la felicità e non è invece un angolo a parte della vita dove si sta bene?

Prima di tutto una compagnia è «quella vera» se approfondisce il rapporto di conoscenza affettiva di Cristo; secondo, se approfondisce il rapporto di appartenenza alla tradizione della Chiesa.

E, terzo, se provoca ogni giorno – anche nelle azioni più piccole – l'offerta al mondo, cioè la coscienza di partecipare alla Croce di Cristo che salva il mondo.

A proposito dell'amore al mondo: è davvero possibile amare fino in fondo se stessi e amare gli altri?

Non si ama se stessi se non si amano gli altri, perché abbiamo la stessa origine e lo stesso Destino. Gli altri hanno la stessa consistenza nostra: sono Figli di Dio.

Il nostro stare insieme è veramente «esperienza» della compagnia di Cristo o «mezzo» per arrivare a Cristo?

Mezzo vuol dire strada: strada a Cristo, il che vuol dire attivazione della propria coscienza di ogni istante come rapporto con Cristo che lo costituisce.

Perché è il rapporto con Cristo che dà consistenza all'istante.

È possibile una compagnia che non ti abbandona mai?

Non è possibile una compagnia che non ti abbandona mai, eccetto che sia una compagnia fatta in Cristo.

In fondo, diventare grandi vuol dire cavarsela da sé. Mentre noi, invece, diciamo sempre che è importante rimanere nella compagnia.

Si diventa tanto più grande quanto più si è capace di valorizzare tutti i fattori in cui ci si va ad imbattere. Perciò tanto più si diventa grandi quanto più si sa vivere insieme valorizzando tutti questi fattori.

Quindi, a livello umano, si è tanto più grandi quanto più capaci di vivere una compagnia.

Perché non si può vivere il cristianesimo da soli?

Perché essere cristiani vuol dire essere battezzati; essere battezzati vuol dire essere immedesimati con Cristo. Se io sono immedesimato con Cristo e tu sei immedesimato con Cristo siamo membra l'uno dell'altro.

Che differenza c'è tra l'appartenenza vissuta come un semplice allineamento e l'immedesimarsi con le ragioni?

L'allineamento non è appartenenza.

Appartenenza è riconoscimento della natura del proprio io e dell'origine della sua consistenza. L'allineamento non genera mai niente di nuovo, mentre l'appartenenza genera sempre del nuovo: figli, non seguaci.

Legenda

COMUNIONE E LIBERAZIONE - GIOVENTÙ STUDENTESCA

Comunione e Liberazione (Cl) è un movimento ecclesiale il cui scopo è l'educazione cristiana matura dei propri aderenti e la collaborazione alla missione della Chiesa nella società contemporanea. È presente in Italia e in molti paesi dell'Europa, dell'America, dell'Africa e dell'Asia.

Il movimento è nato in Italia nel 1954, quando mons. Luigi Giussani diede vita ad un'iniziativa di presenza cristiana chiamata Gioventù Studentesca (Gs), a partire dal liceo classico Berchet di Milano. L'attuale denominazione compare per la prima volta nel 1969, per sintetizzare la convinzione che l'avvenimento cristiano vissuto nella *comunione* è il fondamento della vera *liberazione*.

SCUOLA DI COMUNITÀ

La catechesi – testo, meditazione personale e incontri comunitari – del movimento di Comunione e Liberazione.

MANIFESTO PASQUALE (VOLANTONE)

Testo di meditazione accompagnato da un'immagine, che ogni anno – a partire dal 1982 – il movimento di Comunione e Liberazione stampa e diffonde in occasione della Santa Pasqua.

EQUIPES

Con questo termine vengono indicati gli incontri periodici – tre per anno – dei responsabili degli universitari di Comunione e Liberazione.

TRACCE - «LITTERAE COMMUNIONIS»

Rivista mensile ufficiale del movimento di Comunione e Liberazione.

MEMORES DOMINI

È l'esperienza di totale dedizione a Cristo nella verginità, nata dal movimento di Comunione e Liberazione. L'Associazione *Memores Domini* (denominata comunemente Gruppo Adulto) è un'Associazione ecclesiale privata universale, dotata di personalità giuridica nell'Ordinamento canonico per decreto della Santa Sede. L'associazione si propone di attuare una presenza missionaria per riportare la fede nella vita degli uomini, incontrandoli dovunque, ma, in particolare, nei diversi ambiti del mondo del lavoro: scuola, ufficio, fabbrica.

Bibliografia

Vengono elencate le principali opere menzionate o citate nel testo.

G. Cesbron, *È mezzanotte dottor Schweitzer*, BUR, Milano 1993.

P. Claudel, *L'annunzio a Maria*, Vita e Pensiero, Milano 1977.

T. S. Eliot, *Cori da «La Rocca»*, BUR, Milano 1994.

Giovanni Paolo II, *Ai giovani e alle giovani del mondo*, Lettera apostolica, 31 marzo 1985, «La Traccia», 1985, fasc. III.

–, *La vita umana è cultura*, Allocuzione all'UNESCO, 2 giugno 1980, «La Traccia», 1980, fasc. VI.

–, *Formare ed educare l'uomo completo*, All'Unione Cattolica Italiana Insegnanti Medi (UCIIM), 16 marzo 1981, «La Traccia», 1981, fasc. III.

–, *La vera cultura è sviluppo dell'uomo*, agli uomini di cultura, Rio de Janeiro, 1° luglio 1980, «La Traccia», 1980, fasc. VII.

L. Giussani, *Il senso religioso*, Jaca Book, Milano 1986.

–, *All'origine della pretesa cristiana*, Jaca Book, Milano 1988.

–, *Il rischio educativo*, Jaca Book, Milano 1988.

–, *Si può vivere così?*, BUR, Milano 1994.

–, *Il senso di Dio e l'uomo moderno*, BUR, Milano 1994.

P. F. Lagerkvist, *Poesie*, Nuova Compagnia Editrice, Forlì 1991.

G. Leopardi, *Poesie e prose*, Hoepli, Milano 1972.

O. Mazzoni, *Noi peccatori: liriche 1883-1936*, Zanichelli, Bologna 1930.

C. Milosz, *Miguel Mañara*, Jaca Book, Milano 1983.

A. Negri, *Poesie*, Mondadori, Milano 1956.

G. Pascoli, *Tutte le poesie*, Mondadori, Milano 1974.

R. Voillaume, *Come loro*, Ed. Paoline, Roma 1979.

Viterbo 1977, in *Agli Educatori. L'adulto e la sua responsabilità*, «Quaderni di Cl» 7, Milano 1990.

Fonti

Nel volume sono raccolti i più significativi interventi di don Giussani, dagli anni '50 a oggi, sui giovani. Si tratta di conferenze, interviste, dialoghi con studenti liceali e universitari, saggi comparsi su enciclopedie, libri e riviste.
Nella prima parte, «Ai giovani», sono contenuti discorsi e alcune interviste; nella seconda, «Sui giovani», si trovano i saggi e le riflessioni sull'età giovanile e sugli aspetti ad essa connessi.
Nei dialoghi le domande e gli interventi degli interlocutori sono in corsivo.
I testi sono tratti da:

Introduzione

La giovinezza è un atteggiamento del cuore, «La Traccia», 1985, fasc. III.

Uno sguardo vero, «Il Sabato», 6.4.1985.

Parte Prima

Contro il dubbio, per la ragione, «Il Sabato», 8.3.1986.

L'io e la grande occasione. Lezione agli esercizi spirituali degli universitari, «Tracce», marzo 1994.

Un luogo dove dire «io» con verità, Incontro con gli studenti di Comunione e Liberazione, Rimini, 13 settembre 1992, Ed. Nuovo Mondo, Milano 1992.

Oltre il muro dei sogni, Incontro con Gioventù Studentesca, Cervia, 13 settembre 1991, Ed. Nuovo Mondo, Milano 1991.

Perché il cuore viva, Esercizi spirituali degli universitari di Cl, 11.12.1992.

Una fede ragionevole, Dialogo con studenti di Gioventù studentesca, settembre 1989, in «Litterae Communionis», ottobre 1989, pp. 4-7.

La certezza di una presenza, Dialogo con i responsabili di Gioventù·Studentesca, Cervia, 1° novembre 1994, in *Realtà e giovinezza: la sfida*, «Quaderni di Tracce», 1994.

Amanti della verità, Equipe degli universitari, Milano, 26 ottobre 1994, in *Realtà e giovinezza: la sfida*, «Quaderni di Tracce», 1994.

L'incontro con un Altro mi realizza, con il titolo: *Dalla speranza la pienezza della gioia*, in Aa.Vv., *La Chiesa di Cristo è ormai superata?*, Cittadella Ed., Assisi 1961, pp. 58-65.

La forza morale per riconoscere una presenza, Equipe degli universitari di Cl, 1985.

PARTE SECONDA

Risposte cristiane ai problemi dei giovani, in «Quaderni dell'azione sociale», 1.2.1961, rist. in «Quaderni di Cl», 16.

Crisi e possibilità della Gioventù Studentesca, Lezione tenuta alla XI Settimana di spiritualità promossa dall'Università Cattolica del S. Cuore su «La gioventù attuale e i problemi della spiritualità», Vita e Pensiero, Milano 1961.

Ragione e compagnia, da *Il Rischio educativo*, Jaca Book, Milano 1988, pp. 25-29.

Libertà di educazione, Bergamo, 15.2.1985.

L'educazione come comunicazione di sé, da *Agli educatori. L'adulto e la sua responsabilità*, «Quaderni di Cl» 7, Milano 1990.

La famiglia, il luogo naturale, da «Litterae Communionis», gennaio 1987, pp. 16-19.

La carità, legge dell'essere, col titolo: *Il senso della caritativa*, a cura di Gioventù Studentesca, Milano 1961, rist. suppl. al n. 5 di «Litterae Communionis», giugno 1984.

APPENDICE

La felicità, il dolore, la scelta di Dio, la compagnia, in «74 domande e risposte», suppl. al n. 6 di «Litterae Communionis», giugno 1993.